Bodensee-Königssee-Radweg

Von Lindau ins Berchtesgadener Land

Ein original *bikeline*-Radtourenbuch

Esterbauer

bikeline-Radtourenbuch Bodensee-Königssee-Radweg

A-3751 Rodingersdorf, Hauptstr. 31
Tel.: ++43/2983/28982-0
Fax.: ++43/2983/28982-500
E-Mail: bikeline@esterbauer.com
www.esterbauer.com

2. überarbeitete Auflage, Herbst 2004

ISBN 3-85000-128-8

Bitte geben Sie bei jeder Korrespondenz Auflage und ISBN an!

Dank an alle, die uns bei der Erstellung dieses Buches tatkräftig unterstützt haben.

Das bikeline-Team: Birgit Albrecht, Beatrix Bauer, Grischa Begaß, Karin Brunner, Anita Daffert, Michaela Derferd, Roland Esterbauer, Angela Frischauf, Maria Galbruner, Jutta Gröschel, Dagmar Güldenpfennig, Carmen Hager, Karl Heinzel, Valeska Henze, Veronika Loidolt, Michael Manuwarda, Mirijana Nakic, Niki Nowak, J. Andrea Ott, Maria Pfaunz, Andreas Prinz, Petra Riss, Martha Siegl, Matthias Thal.

Bildnachweis: Alpin Consult Tourismus Service Agentur: 7; Bad Heilbrunn: 62; Bad Reichenhall/Bayerisch Gmain: 100; Bernhard Mues: 20; Fotoarchiv Verkehrsverein Lindau: 14, 14; Füssen Tourismus: 38, 41, 42, 44, 46; Gäste-Information Schliersee: 77, 62; Gemeinde Gaißach: 68; Kochel am See: 56, 58; Kur- und Verkehrsverein e.V.: 100; Kur & Gästeinformation Bad Feilnbach: 78; Roland Esterbauer: 16, 16; Stadt Traunstein - Tourist-Information: 94, 94; Tanner Werbung: 38, 41, 42, 44, 46; Tourist-Information Siegsdorf: 92; Tourist-Info in Anger: 99; Tourist Info: 56, 58; Tourist Info Kochel am See: 56; Tobias Sauer: 18, 22, 22, 24, 26; Verkehrsbüro Frasdorf: 84, 84; Veronika Loidolt: Cover, 18, 20, 24, 30, 30, 32, 34, 36, 44, 48, 48, 50, 50, 52, 52, 54, 54, 60, 62, 64, 66, 72, 76, 80, 82, 85, 85, 86, 86, 88, 88, 90, 98, 104, 108

Was ist bikeline?

Wir sind ein junges Team von aktiven Radfahrerinnen und Radfahrern, die 1987 begonnen haben, Radkarten und Radbücher zu produzieren. Heute tun wir dies als Verlag mit großem Erfolg. Mittlerweile gibt's bikeline© und cycline© Bücher in fünf Sprachen und in vielen Ländern Europas.

Um unsere Bücher immer auf dem letzten Stand zu halten, brauchen wir auch Ihre Hilfe. Schreiben Sie uns, wenn Sie Fehler oder Änderungen entdeckt haben. Oder teilen Sie uns einfach die Erfahrungen und Eindrücke von Ihrer Radtour mit.

Wir freuen uns auf Ihren Brief,

Ihre bikeline-Redaktion

Vorwort

Lassen Sie sich quer durch das hügelige Voralpenland zu einer besonders genussvollen Radwanderung verführen. Erfahren Sie auf über 400 Radkilometern die Vielfältigkeit und Schönheit der Landschaft Bayerns: idyllisch gelegene Seen, die hügelige Allgäuer Voralpenlandschaft, zahlreiche geschichtsträchtige Städte und natürlich die Königsschlösser des Bayerischen „Märchenkönigs" Ludwig II. Und das alles mit dem ständigen Blick auf ein traumhaftes Alpenpanorama.

Präzise Karten, genaue Streckenbeschreibungen, zahlreiche Stadt- und Ortspläne, Hinweise auf das kulturelle und touristische Angebot der Region und ein umfangreiches Übernachtungsverzeichnis – in diesem Buch finden Sie alles, was Sie zu einer Radtour entlang des Bodensee-Königssee-Radweges brauchen – außer gutem Radlwetter, das können wir Ihnen nur wünschen.

Kartenlegende (map legend)

Die Farbe bezeichnet die Art des Weges:
(The following colour coding is used:)

Hauptroute (main cycle route)
Radweg / autofreie Hauptroute (cycle path / main cycle route without motor traffic)
Ausflug oder Variante (excursion or alternative route)
Radweg in Planung (planned cycle path)

Strichlierte Linien zeigen den Belag an:
(The surface is indicated by broken lines:)

asphaltierte Strecke (paved road)
nicht asphaltierte Strecke (unpaved road)
schlecht befahrbare Strecke (bad surface)

Punktierte Linien weisen auf KFZ-Verkehr hin:
(Routes with vehicular traffic are indicated by dotted lines:)

Radroute auf mäßig befahrener Straße (cycle route with moderate motor traffic)
Radroute auf stark befahrener Straße (cycle route with heavy motor traffic)
Radfahrstreifen (cycle lane)
stark befahrene Straße (road with heavy motor traffic)

starke Steigung (steep gradient, uphill)
leichte bis mittlere Steigung (light gradient)
3 Entfernung in Kilometern (distance in km)
Routenverlauf (cycle route direction)

Maßstab 1 : 50.000
1 cm ≙ 500 m   1 km ≙ 2 cm

Schönern sehenswertes Ortsbild (picturesque town)
( ) Einrichtung im Ort vorhanden (facilities available)
Hotel, Pension; Jugendherberge (hotel, guesthouse; youth hostel)
Campingplatz; Naturlagerplatz (camping site; simple tent site)
Tourist-Information; Einkaufsmöglichkeit (tourist information; shopping facilities)
Gasthaus; Rastplatz; Kiosk (restaurant; resting place, kiosk)
Freibad; Hallenbad (outdoor swimming pool; indoor swimming pool)
sehenswerte Gebäude (buildings of interest)
Mühle andere Sehenswürdigkeit (other place of interest)
Museum; Theater; Ausgrabungen (museum; theatre; excavation)
Tierpark; Naturpark (zoo; nature reserve)
Aussichtspunkt (panoramic view)
Parkplatz; Parkhaus (parking lot; garage)
Schiffsanleger, Fähre (boat landing; ferry)
Werkstatt; Fahrradvermietung (bike workshop; bike rental)
überdachter ~; abschließbarer Abstellplatz (covered ~; lockable bike stands)

Kirche; Kapelle; Kloster (church; chapel; monastery)
Schloss, Burg; Ruine (castle; ruins)
Turm; Funkanlage (tower; TV/radio tower)
Kraftwerk; Umspannwerk (power station; transformer)
Windmühle; Windkraftanlage (windmill; windturbine)
Wegkreuz; Gipfel (wayside cross; peak)
Bergwerk; Leuchtturm (mine; lighthouse)
Denkmal (monument)
Sportplatz (sports field)
Flughafen (airport, airfield)
Quelle; Kläranlage (natural spring, purification plant)
Gefahrenstelle; Text beachten (dangerous section; read text carefully)
Treppen; Engstelle (stairs; narrow pass, bottleneck)
X X X Rad fahren verboten (road closed to cyclists)

In Ortsplänen: (in city maps:)

Post; Apotheke (post office; pharmacy)
F H Feuerwehr; Krankenhaus; Polizei (fire-brigade; hospital; police)

0 1 2 3 4 5 6 7 8 9 10 km

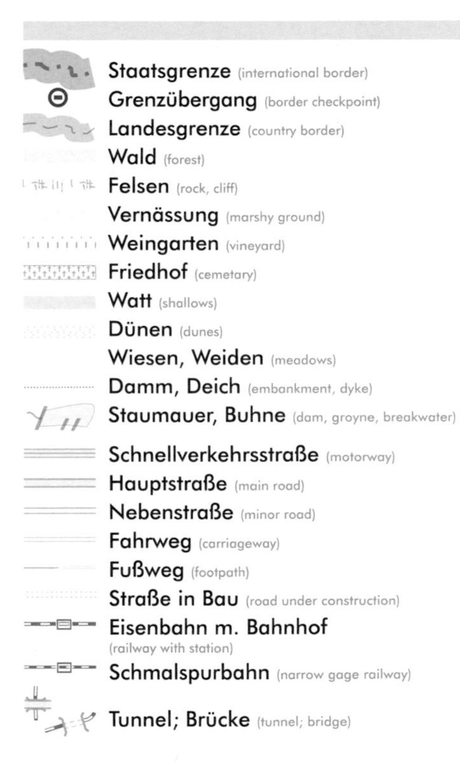

Inhalt

Der Bodensee-Königssee-Radweg

Der Start des Radweges am Bodensee in Lindau ist schon der erste Höhepunkt der Radreise. Der **Bodensee,** der drittgrößte See Mitteleuropas, ist ein bewegtes Pflaster geologischer und historischer Ereignisse: Im Osten begrenzt vom Panorama der Alpen, im Westen umrandet von den erkalteten Kegeln einstiger Vulkane, wartet er mit seinen landschaftlichen Schönheiten und dem milden Klima darauf, immer aufs Neue entdeckt und erforscht zu werden.

Auf seiner gesamten Länge zwischen Bodensee und Königssee bietet der Radweg immer wieder ein wunderschönes Panorama auf Alpen, idyllisch gelegene Seen und märchenhafte Wälder. In die traumhafte, hügelige Voralpenlandschaft liegen eingebettet so schmucke Städtchen wie Lindau, Füssen oder Bad Tölz, urbayrische Zwiebelkirchtürme blinzeln freundlich zwischen den Hügeln hervor.

Der **Königssee,** das Ziel Ihrer Radtour, ist einer der schönst gelegenen Seen in Bayern. Mit seinem smaragdgrünen, kristallklaren Wasser verleitet er zum grenzenlosen Träumen. Viele Maler wurden aufgrund des märchenhaften Ausblicks und der erfrischenden Vielfalt des Sees immer wieder aufs Neue inspiriert. Das Wahrzeichen des Königssees, der Felsberg St. Bartholomä, ist nur mit dem Schiff erreichbar. Die weltbekannte Wallfahrtskirche am Königssee liegt malerisch auf einer Halbinsel, nebenbei das ehemalige Jagdschlösschen. Neuerdings darf der See auch mit Booten befahren werden. Aus Umweltschutzgründen jedoch nur mit Elektrobooten.

Streckencharakteristik

Länge

Die **Länge** des Bodensee-Königssee-Radweges mit Start in Lindau und Endziel am Königssee beträgt 432,5 Kilometer.

Wegequalität

Die Qualität der Wege ist im Allgemeinen gut bis sehr gut. Zum großen Teil verläuft die Route auf ruhigen asphaltierten Landstraßen. Nur selten gibt es unbefestigte Rad- und Landwirtschaftswege, die aber dann auch sehr gut befahrbar sind. Stark verkehrsreiche Straßen

sind eher selten. Bei erhöhtem Verkehrsaufkommen, besonders in Nähe großer Städte, fahren Sie auf straßenbegleitenden Radwegen.
Da die Radroute im Voralpenland von West nach Ost führt, bleiben Ihnen Steigungen auf der gesamten Strecke nicht erspart. Im stetigen Auf und Ab fahren Sie durch hügeliges Voralpenland, leichte und starke Steigungs- und Gefällestrecken wechseln sich ab.

Beschilderung

Die Beschilderung des gesamten Radweges

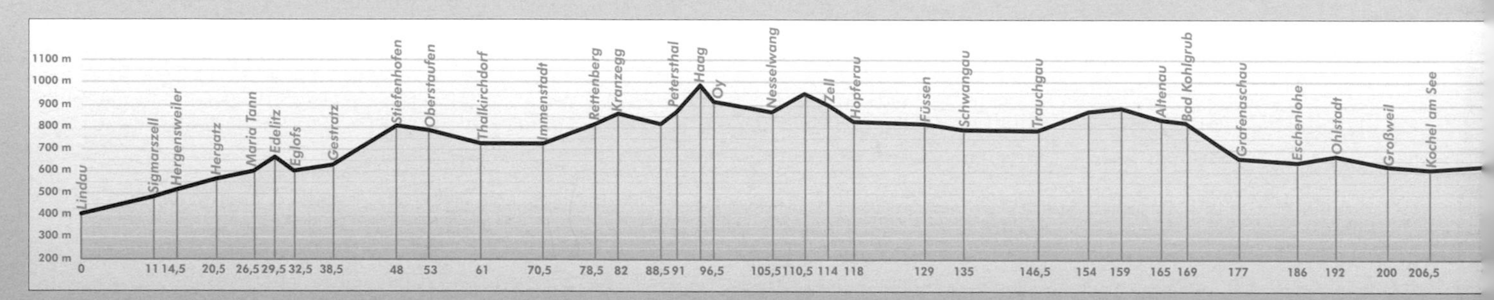

von Lindau bis zum Königssee ist im Frühjahr 2004 fertiggestellt worden.

Bodensee - Königssee Radweg

Tourenplanung

Infostellen

Arbeitsgemeinschaft Bodensee-Königssee-Radweg, c/o Tourismusverband München Oberbayern, Postfach 600320, D-81203 München, ✆ 089/8292180, Fax: 089/82921828, E-Mail: info@bodensee-koenigssee-radweg.com, Internet: www.bodensee-koenigssee-radweg.com

Die **Arbeitsgemeinschaft Bodensee-Königssee-Radweg** ist ein öffentlich rechtlicher Zusammenschluss sämtlicher Landkreise entlang des Radweges, regionaler Tourismusverbände, mehrerer Gemeinden und vieler Hotels und Pensionen. Gerne steht Ihnen die **Arbeitsgemeinschaft Bodensee-Königssee-Radweg** bei der Planung Ihrer Radtour mit Rat und Tat zur Seite.

Bayern Tourismus Marketing GmbH, Leopoldstr. 146, D-80804 München, ✆ 089/2123970, Fax: 089/293582, E-Mail: tourismus@bayern.info, Internet: www.bayerntourismus.de

Bayerischer Hotel- und Gaststättenverband e.V. (BHG), Türkenstraße 7, D-80333 München, ✆ 089/287600, Fax: 089/28760111, E-Mail: info@bhg-online.de, Internet: www.tiscover.de/bhg-beherbergung

ADFC Landesverband Bayern & Bett & Bike Bayern, Landwehrstr. 16, D-80336 München, ✆ 089/553575; Fax: 089/5502458, E-Mail: kontakt@adfc-bayern.de, Internet: www.adfc-bayern.de

Tourismusverband Allgäu/Bayerisch-Schwaben, Fuggerstr. 9, D-86150 Augsburg, ✆ 0821/4504010, Fax: 0821/45040120, E-Mail: info@tvabs.de, Internet: www.allgaeu-bayerisch-schwaben.de

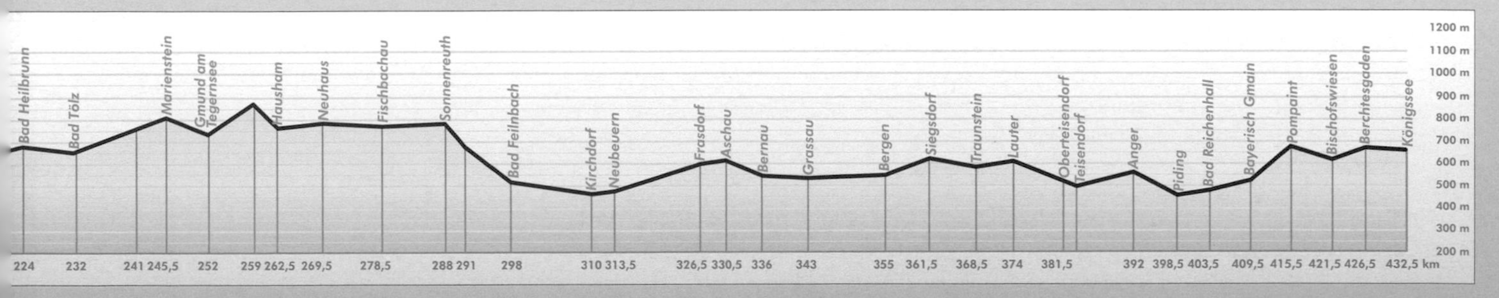

Tourismusverband Chiemgau e.V., Im Landratsamt, Ludwig-Thoma-Straße 2, D-83278 Traunstein, ✆ 0861/58223, Fax: 0861/64295, E-Mail: info@chiemgau-tourismus.de, Internet: www.chiemgau-tourismus.de

Tourismusverband Ostallgäu, Schwabenstr. 11, D-87610 Marktoberdorf, ✆ 08342/911313, Fax: 08342/911544, E-Mail: tourismus@ostallgaeu.de, Internet: www.ostallgaeu.de

Tourismusverband Ostbayern, Luitpoldstr. 20, D-93047 Regensburg, ✆ 0941/585390, Fax: 0941/5853939, E-Mail: info@ostbayern-tourismus.de, Internet: www.ostbayern-tourismus.de

Anreise & Abreise mit der Bahn:

Infostellen:

Deutsche Bahn AG, **DB Auskunft**, ✆ 11861 (Reservierungen, Fahrplanauskünfte, und Fahrpreise; 1,33 €/Min.), **DB Fahrplanauskunft** (kostenfrei) ✆ 0800/1507090 oder unter www.bahn.de

Deutsche Bahn AG, **Radfahrer Hotlinie**, ✆ 01805/151415 (gebührenpflichtig), weiterführende Infos zu Rad&Bahn unter www.bahn.de/pv/uebersicht/die_bahn_und_bike.shtml.

Tickethotlinie, ✆ 01805/996633, Internet: www.bahn.de

Der Startort des **Bodensee-Königssee-Radweges**, Lindau, ist mit der Bahn leicht zu erreichen. Der Hauptbahnhof der Insel Lindau ist aus allen Himmelsrichtungen gut mit EC, IRE und dem Regional Express gut erreichbar.

Für die **Rückreise** von Berchtesgaden zurück nach Lindau müssen Sie nur einmal umsteigen. Vom Hauptbahnhof in Berchtesgaden mit dem RE bis nach Ulm und hier umsteigen in den IRE Richtung Lindau Hauptbahnhof.

Die Fahrradmitnahme in den Zügen ist reservierungspflichtig und nur begrenzt möglich. Genaue Transportmöglichkeiten siehe Punkt Fahrradtransport.

Fahrradtransport

Fahrradmitnahme:

Die direkte Fahrradmitnahme ist in Deutschland in allen Zügen möglich, die im Fahrplan mit dem Radsymbol 🚲 gekennzeichnet sind. Voraussetzung für die Fahrradmitnahme ist zusätzlich zum Fahrausweis eine Fahrradkarte und ausreichende Kapazitäten in den Zügen. In den Zügen des Fernverkehrs ist zusätzlich eine Stellplatzreservierung erforderlich. Die Reservierung ist kostenfrei. Sie kann am Fahrkartenschalter oder über die Radfahrer-Hotline gebucht werden.

Die Fahrradmitnahme kostet in allen Fernverkehrszügen € 8,–, Bahncardbesitzer zahlen € 6,–. In den Zügen des Nahverkehrs kostet die Fahrradmitnahme € 3,–. Innerhalb von Verkehrsverbünden gelten teilweise abweichende Tarifbestimmungen. Für besondere Fahrradtypen wie Fahrradanhänger, Tandems, Liegeräder und Dreiräder sowie Fahrräder mit Hilfsmotor, müssen Sie zusätzlich eine zweite Fahrradkarte erwerben.

Fahrradversand:

Es gibt zwei Möglichkeiten, Ihr Fahrrad innerhalb Deutschlands zu versenden. Entweder Sie geben den Fahrradversand über die Bahn (in Kooperation mit dem Hermes Versand) oder direkt beim Hermes Versand unter ✆ 01805/4884 (0,12 €/Minute Festnetz Telekom) in Auftrag. In Verbindung mit dem Kauf einer Bahnfahrkarte ist der Fahrradversand erheblich kostengünstiger.

Beim Kauf Ihrer Bahnfahrkarte bestellen Sie am Schalter ein KurierGepäck Ticket für Ihr Fahrrad. Dieses Ticket lösen Sie bei der Abholung Ihrer Fahrrades beim Kurierfahrer ein und bezahlen lediglich den KurierGepäck-Preis. Der KurierGepäck-Preis Inland beträgt für das erste und zweite Fahrrad € 24,10, für jedes weitere Fahrrad werden € 18,10 berechnet (bei gleicher Abhol- und Zustelladresse). Für den Versand von den Nordseeinseln und der Insel Hiddensee wird ein Zuschlag von € 6,90 berechnet.

Um einiges teurer wird es, wenn Sie Ihr Fahrrad mit dem Hermes Versand verschicken möchten, gleichzeitig aber beispielsweise mit dem Flugzeug oder PKW anreisen. In diesem Fall müssen Sie sich als Privatkunde direkt an den Hermes Versand wenden. Der Fahrradversand kostet dann € 39,90.

In beiden Fällen beträgt die Lieferzeit 2 Werktage, von den Nordseeinseln und der Insel Hiddensee 3 Werktage.

Die Zustellzeiten für Bahnfahrer sind Mo-Sa 10-18 Uhr, für alle Privatkunden Di-Sa von 10-18 Uhr. Der genaue Zustellzeitpunkt kann direkt beim Hermes Versand erfragt und auf vier Stunden eingegrenzt werden (entweder 10-14 Uhr od. 14-18 Uhr). Außerhalb dieser Zeiten ist ein sogenannter Feierabendtarif buchbar. Für die Zustellung in der Zeit von 17-21 Uhr wird ein Zuschlag von € 6,90 berechnet.

Für die Verschickung von Fahrrädern besteht **Verpackungspflicht,** d.h. das Fahrrad muss bei Abholung transportgerecht verpackt sein. Falls kein entsprechendes Material zur Hand ist, bringt der Kurierfahrer auf Bestellung eine entsprechende Mehrwegverpackung zum Preis von € 5,90 mit.

Der Fahrradversand erfolgt nur von Haus zu Haus, d. h. Sie benötigen sowohl für die Abholung als auch für die Zustellung eine Privatadresse. Falls Sie keine Privatadresse für die Zustellung am Zielort angeben können, dann versuchen Sie es über eine private Fahrradstation vor Ort. Viele bieten nach Absprache den Service an, ihre Adresse als Zustell- oder Abholadresse für den Versand anzugeben – gegen eine geringe Gebühr oder sogar kostenlos.

Rad & Bahn

Zwischen Lindau und Immenstadt ist es jederzeit möglich auf die Bahn umzusteigen, da die Bahngleise immer wieder in der Nähe des Radweges verlaufen.

Zwischen Kochel am See und Benediktbeuern besteht die Möglichkeit an Stelle einer Fahrt von 9,5 Kilometern auf unbefestigtem Weg vom Rad auf die Bahn zu wechseln. In Benediktbeuern können Sie wieder problemlos an die Hauptroute anschließen.

Auch zwischen Bad Tölz und Traunstein können Sie vom Rad auf die Bahn wechseln. Die Route wird somit um zirka 133,5 Kilometer verkürzt. Die Fahrtzeit dauert zirka zwei Stunden und 30 Minuten mit einmal umsteigen in München am Hauptbahnhof.

Zwischen Bad Reichenhall und Berchtesgaden ist es jederzeit möglich auf die Bahn umzusteigen, da die Gleise den Radweg begleiten.

Radverleihstationen:

Sie können entlang der **Bodensee-Königssee-Radtour** an folgenden Bahnhöfen ein Fahrrad ausleihen:

Bad Feilnbach, DB-Reisedienst d. Kur- und Gästeinformation, Bahnhofstr. 9, ✆ 08066/906333

Bad Reichenhall, Sport Müller, Spitalgasse 3, ✆ 08651/3776

Berchtesgaden Sport M & R Brandner, Bergwerkstr. 52, ✆ 08652/1434

Bernau-Felden, Fahrradverleih Fritz Müller, Am Chiemsee-Ufer-Rundweg, ✆ 08051/8281

Füssen, Radsport Zacherl, Kemptener Str. 119, ✆ 08362/3292
Immenstadt, Zweirad Riescher, Badeweg 3, ✆ 08323/8660
Kochel am See, Benedikt Heinritzi, Bahnhofstr. 8, ✆ 08851/471
Lindau, Fahrradstation Lindau, Körfgen & Partner, Bahnhof 1b, ✆ 08382/21261
Oberstaufen, Oli´s Bike-Shop, Rainwaldstr. 2, ✆ 08386/961064

Sie sollten sich aber immer im Voraus an der Vermietstation über Preise und Öffnungszeiten informieren. Zum Mieten eines Fahrrades benötigen Sie einen gültigen Lichtbildausweis. Die Mietgebühren sind teilweise sehr unterschiedlich, sie betragen zwischen € 3,– und € 12,50 pro Tag.

Für sonstige weitere Informationen wenden Sie sich am besten an die **Radfahrer-Hotline** der Deutschen Bahn AG: ✆ 01805/151415.

Übernachtung

Entlang des Bodensee-Königssee-Radweges gibt es ausreichend Übernachtungsmöglichkeiten in den unterschiedlichsten Kategorien. Nur zu Beginn der Strecke, zwischen Lindau und Immenstadt, sind die Beherbergungsbetriebe nicht ganz so zahlreich gesät. Da das bayerische Voralpenland allgemein ein beliebtes Urlaubsziel ist, empfiehlt es sich, vor allem zu Ferienzeiten und an Wochenenden, das Zimmer schon im Voraus zu reservieren.

Mit Kindern unterwegs

Es ist ratsam, die gesamte Tour von Lindau bis zum Königssee nicht mit Kindern unter 10 bis 12 Jahren zu unternehmen, da es doch immer wieder schwierige Streckenabschnitte mit größeren Steigungen und Abfahrten zu überwinden gibt.

Das Rad für die Tour

Als **Rad für die Tour** sollte Ihr Fahrrad aufgrund der Steigungen eine gut funktionierende mindestens 10-gängige Schaltung besitzen. Empfehlenswert ist auf diesem Radweg ein Tourenrad, Trekking- oder Mountainbike. Mit dem Rennrad werden Sie auf den teilweise längeren Waldwegpassagen keine große Freude haben. Kontrollieren Sie bitte auch vor Reiseantritt besonders die Funktionstüchtigkeit Ihrer Bremsen.

Ratsam ist aber auf jeden Fall – egal bei welchem Fahrradtyp – eine kleinere „Radapotheke" mitzuführen. Eine Grundausrüstung an Werkzeug und Zubehör sollte Folgendes beinhalten: Ersatzschlauch und/oder Flickzeug, Reifenhebel, Universalschraubenschlüssel, Luftpumpe, Brems- und Schaltseil, Speichen- und Schraubenzieher, Öl sowie Kettenfett, Schmiertücher und Ersatzleuchten.

Versuchen Sie schon vor der Abreise, eine bequeme Sitzposition auf Ihrem Rad zu finden. Der Rahmen sollte halbwegs Ihrer Körpergröße entsprechen. Vielleicht bekommen Sie wegen einer zu niedrigen Lenkstange nach einiger Zeit Druckstellen an den Händen oder einen steifen Rücken. Abhilfe schaffen hier ein höherer Lenker(vorbau) oder auch Fahrradhandschuhe. Besonderes Augenmerk sollten Sie dem Sattel schenken. Wenn Ihr Gesäß nach längerer Fahrt zu schmerzen beginnt, dann haben Sie einen zu weichen oder einfach den falschen Sattel. Des Radfahrers wahrer Luxus sind ergonomisch geformte Ledersättel.

Auch einen Kartenhalter oder eine Lenkertasche werden Sie auf Ihrer Tour sehr gut brauchen können. Zweifach-Hinterradtaschen mit unkomplizierter Befestigung erweisen sich bei längerer Fahrt als zweckmäßig.

Da selbst das beste Rad nicht von Pannen verschont wird, empfiehlt es sich eine Grundausrüstung an Werkzeug und Zubehör mit auf die Reise zu nehmen.

Radreiseveranstalter:

Sportive Reisen by Sareiter, Nördliche Hauptstr. 1-3, 83700 Rottach-Egern, ✆ 08022/6619-0, Fax: 08022/661925, Internet: www.radeln.org, E-Mail: radeln@sareiter.de.

Eurobike Eurofun Touristik GmbH, Mühlstraße 20, A-5162 Obertrum, ✆ 0043/6219/7444, Fax: 0043/6219/8272, E-Mail: eurobike@eurobike.at, Internet: www.eurobike.at.

Velotours Touristik GmbH, Ernst-Sachs-Straße 1, 78467 Konstanz, ✆ 07531/98280, Fax: 07531/982898, Internet: www.velotours.de, E-Mail: info@velotours.de

Firma **KÖGEL-Radreisen,** 78315 Radolfzell am Bodensee, Höllstr. 17, ✆ 07732/80050

Zu diesem Buch

Dieser Radreiseführer enthält alle Informationen, die Sie für den Radurlaub auf dem Bodensee-Königssee-Radweg benötigen: Exakte Karten, eine detaillierte Streckenbeschreibung, ein ausführliches Übernachtungsverzeichnis, Stadt- und Ortspläne und die wichtigsten Informationen zu touristischen Attraktionen und Sehenswürdigkeiten.

Und das alles mit der ***bikeline*-Garantie**: jeder Meter in unseren Büchern ist von einem unserer Redakteure vor Ort auf seine Fahrradtauglichkeit geprüft worden!

Die Karten

Einen Überblick über die geographische Lage des in diesem Buch behandelten Gebietes gibt Ihnen die Übersichtskarte auf der vorderen inneren Umschlagseite. Hier sind auch die Blattschnitte der einzelnen Detailkarten eingetragen. Diese Detailkarten sind im Maßstab 1 : 50.000 erstellt. Diese bedeutet, dass 1 cm auf der Karte einer Strecke von 500 Metern in der Natur entspricht. Zusätzlich zum genauen Routenverlauf informieren die Karten auch über die Beschaffenheit des Bodenbelages (befestigt oder unbefestigt), Steigungen (leicht oder stark), Entfernungen sowie über kulturelle und gastronomische Einrichtungen entlang der Strecke.

Allerdings können selbst die genauesten Karten den Blick auf die Wegbeschreibung nicht ersetzen. Komplizierte Stellen werden in der Karte mit diesem Symbol ⚠ gekennzeichnet, im Text finden Sie das gleiche Zeichen zur Kennzeichnung der betreffenden Stelle wieder. Beachten Sie, dass die empfohlene Hauptroute immer in Rot und Violett, Varianten und Ausflüge hingegen in Orange dargestellt sind. Die genaue Bedeutung der einzelnen Symbole wird in der Legende auf Seite 4 erläutert.

Höhen- und Streckenprofil

Das Höhen- und Streckenprofil gibt Ihnen einen grafischen Überblick über die Steigungsverhältnisse, die Länge und die wichtigsten Orte entlang der Radroute. Es können in diesem Überblick nur die markantesten Höhenunterschiede dargestellt werden, jede einzelne kleinere Steigung wird in dieser grafischen Darstellung jedoch nicht berücksichtigt. Die Steigungs- und Gefälleverhält-

nisse entlang der Route finden Sie im Detail mit Hilfe der Steigungspfeile in den genauen Karten.

Der Text

Der Textteil besteht im Wesentlichen aus der genauen Streckenbeschreibung, welche die empfohlene Hauptroute flussabwärts enthält. Stichwortartige Streckeninformationen werden, zum leichteren Auffinden, von dem Zeichen ~ begleitet.

Unterbrochen wird dieser Text gegebenenfalls durch orange hinterlegte Absätze, die Varianten und Ausflüge behandeln.

Ferner sind alle wichtigen **Orte** zur besseren Orientierung aus dem Text hervorgehoben. Gibt es interessante Sehenswürdigkeiten in einem Ort, so finden Sie unter dem Ortsbalken die jeweiligen Adressen, Telefonnummern und Öffnungszeiten.

Die Beschreibung der einzelnen Orte, sowie historisch, kulturell oder naturkundlich interessante Gegebenheiten entlang der Route tragen zu einem abgerundeten Reiseerlebnis bei. Diese Textblöcke sind kursiv gesetzt und unterscheiden sich dadurch auch optisch von der Streckenbeschreibung.

Zudem gibt es kurze Textabschnitte in den Farben violett oder orange, mit denen wir Sie auf bestimmte Gegebenheiten aufmerksam machen möchten:

Textabschnitte in Violett heben Stellen hervor, an denen Sie Entscheidungen über Ihre weitere Fahrstrecke treffen müssen; z. B. wenn die Streckenführung von der Wegweisung abweicht, oder mehrere Varianten zur Auswahl stehen u. ä.

Textabschnitte in Orange stellen Ausflugstipps dar und weisen auf interessante Sehenswürdigkeiten oder Freizeitaktivitäten etwas abseits der Route hin.

Das Symbol ⚠ bezeichnet schwierige Stellen, an denen zum Beispiel ein Schild fehlt, oder eine Routenführung unklar ist. Sie finden das Zeichen an derselben Stelle in der Karte wieder, so dass sie wissen auf welches Wegstück sich das Symbol bezieht.

Übernachtungsverzeichnis

Auf den letzten Seiten dieses Radtourenbuches finden Sie zu fast allen Orten an der Strecke eine Auswahl von günstig gelegenen Hotels und Pensionen. Dieses Verzeichnis enthält auch Campingplätze und Jugendherbergen. Ab Seite 110 erfahren Sie Genaueres.

Von Lindau nach Füssen

129 km

Das schwäbische Meer – der Bodensee – mit seinem milden Klima bildet den Ausgangspunkt Ihrer Radreise durchs bayerische Alpenvorland. Vom schmucken Städtchen Lindau aus geht es mitten hinein in die saftig grüne Hügellandschaft des Allgäus. Urige Dörfer, hübsche Städtchen und das Panorama der Alpen begleiten Sie auf Ihrem Weg. Der Große Alpsee und der Hopfensee laden zu einer Badepause ein, krönender Abschluss der Tour ist dann das bezaubernde Städtchen Füssen.

Dieser Abschnitt der Radtour verläuft meist auf ruhigen Landstraßen und asphaltierten Wegen. In Nähe der Städte Immenstadt und Füssen weichen Sie dem Verkehr auf gut ausgebaute straßenbegleitende Radwege aus. Zwischen Lindau und Füssen treten zahlreich starke Steigungen auf.

Lindau Insel

Lindau

PLZ: D-88131; Vorwahl: 08382

Verkehrsverein, Ludwigstr. 68, ✆ 260030

Schiffs- und Ausflugsverkehr, Bodensee-Schiffsbetriebe, ✆ 2758410; Schiffsbetrieb Wiehrer, ✆ 78194

Stadtmuseum – Haus zum Cavazzen, Marktplatz 6, ✆ 944073; ÖZ: April-Okt., Di-So 11-17 Uhr, Sa 14-17 Uhr. Überblick über die städtische und ländliche Kunst der Region Bodenseeschwabens: Kunsthandwerk, Gemälde, Möbel, Skulpturen usw. Ständige Sonderausstellung „Mechanische Musikinstrumente" aus der Sammlung Friedrich Wilhelm Kalina, darunter sind Musikautomaten und mechanische Klaviere.

Friedensräume – Villa Lindenhof Museum in bewegung, Lindenhofweg 25, ✆ 24594, ÖZ: April-Okt., Di-Sa 10-12 Uhr u. 14-17 Uhr, So/Fei 14-17 Uhr; Führungen nach Vereinbarung. Hier können Friedensgespräche geführt und Drohgebärden studiert werden.

Peterskirche, Schrannenplatz. An der nördlichen Langhauswand der romanischen Kirche (um 1000) sind die einzig erhaltenen Fresken Hans Holbeins d.Ä. (1480) mit der Passion Christi und anderen Heiligendarstellungen zu sehen.

Barockes Münster „Unserer Lieben Frau", ehem. Stiftskirche

Die **Stephanskirche** wurde im gotisch/romanischen Stil erbaut.

Altstadt, auf der Insel. Die einst freie Reichsstadt erstreckte sich über drei Inseln, die durch Kanäle getrennt waren. Heute steht der alte Stadtteil zur Gänze unter Ensembleschutz und weist viele schmucke Patrizierhäuser, Laubengänge und Brunnen auf.

Altes Rathaus, Maximilianstraße. Eines der schönsten Rathäuser Deutschlands entstand 1422-36 und wurde nicht viel später dem Renaissancestil angepasst. Schöne Treppengiebel und Wandmalereien aus der Lindauer Geschichte vorhanden.

Bootsvermietung: Grahneis, ✆ 5514

Bootsvermietung: Franz, ✆ 22641

Seehafen, an der Südseite der Insel gelegen, mit dem Alten und Neuen Leuchtturm und der Löwenmole, dem Lindauer Wahrzeichen.

Römerschanze, Gerberschanze

Das **Zeughaus** am Schrannenplatz ist nicht nur wegen seiner Holzkonstruktion sehenswert. Auf der Bühne finden Kleinkunstveranstaltungen mit Musik und Theater statt.

Lindau – Hafeneinfahrt

Naturschutzhäusle, ✆ 887564, ÖZ: Mo u. Fr 9.30-11.30 Uhr, Di u. Mi 16-18 Uhr, Führungen nach Vereinbarung. Dauerausstellung des Bund Naturschutz in Bayern e.V. zum Naturraum Bodensee.

Stadttheater, im ehem. Barfüßerkloster, Infos beim Kulturamt, ✆ 27756512, Spielzeit: Okt.-April.

Stadtgarten

Strandbad des Hotels Bad Schachen, Lindau-Schachen, ✆ 2980

Strandbad Eichwald, Lindau-Reutin, Eichwaldstr. 16, ✆ 5539

Strandbad Lindenhof, Lindau-Schachen, Lindenhofw. 41, ✆ 6637

Limare-Spass und Vitalbad Lindau, Bregenzer Str. 37, ✆ 704130, ÖZ: Di-Fr 10-21 Uhr, Sa/So 10-19 Uhr. Dschungel- Wasserparadies, Sauna.

Seebad an der Römerschanze, Neben dem Seehafen, ✆ 6830

Aeschacher Bad, Aeschacher Ufer, Neben dem Bahndamm, ✆ 23446

Fahrradstation, Ortsteil Insel, Im Hauptbahnhof, ✆ 21261

Ungers Fahrradverleih, Ortsteil Insel, Inselgraben 14, ✆ 943688

Fahrradies, Ortsteil Oberreitnau, Bodenseestr. 18, ✆ 4817

Megabike Lindau, Ortsteil Zech, Zechwaldstr. 1, ✆ 967310

Kulturhistorisches Interesse ziehen in Lindau das Alte Rathaus und vor allem die stolzen Patrizierhäuser mit Wandmalereien, wie jenes „zum Cavazzen" auf sich. Die letzten erhaltenen Fresken von Hans Holbein dem Älteren sind in der ehemaligen Peterskirche zu bewundern. In Lindau findet man auch den einzigen Hafen Bayerns. Imposant ist auch der sechs Meter hohe Marmorlöwe aus dem Jahr 1856. Er thront gegenüber dem Mangturm genannten alten Leuchtturm aus dem 13. Jahrhundert.

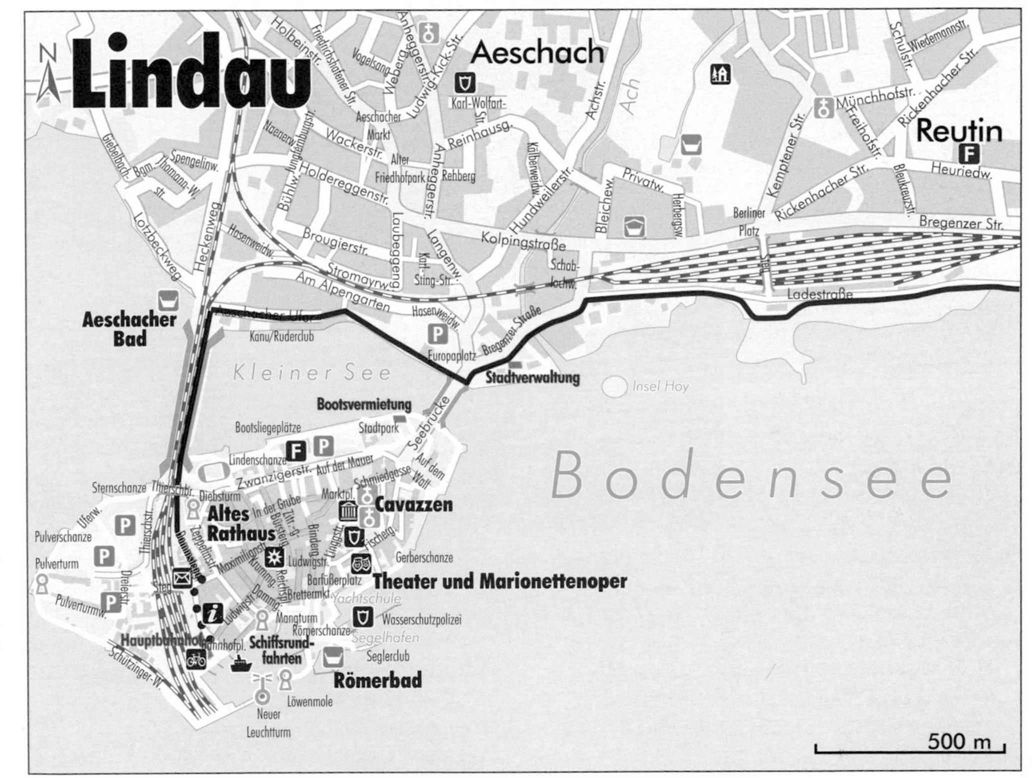

Ungeheuerliches berichtet eine Sage vom ursprünglichen Bau der Kirche Mariä Himmelfahrt, jetzt Münster „Unserer Lieben Frau", in Lindau. Da bot ein unbekannter Jüngling den verzweifelten Bauleuten seine Hilfe beim Aufrichten der schweren Steinsäulen an. Die einzige Bedingung: keine Fragen nach seinem Woher und Wohin.

Die Bauleute waren einverstanden, die Fortschritte beim Bau waren unglaublich. Rätsel gab aber der Jüngling auf: Niemand sah ihn je essen; wegen seiner sagenhaften Kräfte fielen schließlich die verbotenen Fragen. Das Pech dabei: In diesem Moment wurde die letzte Säule aufgestellt – ohne Erfolg, wie unschwer zu erraten ist. Der Jüngling verschwand und galt seither als Engel.

Lindau

Neue Nahrung erhielt die Sage im September 1728, als ein Brand die Kirche und das dazugehörende Stift vernichtete. 1922 ließ ein neuerliches Feuer die Decke einstürzen. Das vorläufig letzte Kapitel der ungeheuren Serie: Im September 1987 fiel das Dachgewölbe auf Kirchenbänke und Seitenaltäre.

Kurz vor der deutsch-österreichischen Grenze liegt die Insel Lindau – ein wunderschöner Ort den Bodensee-Königssee-Radweg zu beginnen. Hier können Sie sich schon einmal auf Ihren Radurlaub einstimmen. Zum Beispiel auf der Promenade bei einem Kaffee den herrlichen Blick über den See und die Aussicht auf das Alpenpanorama genießen.

Von Lindau nach Hergensweiler 14,5 km

Sie starten Ihre Radtour am Hauptbahnhof der Insel Lindau ~ vom **Bahnhofplatz** links in Richtung Busbahnhof.

Lindau

Tipp: Direkt am Hauptbahnhof in Lindau das erste Radschild zum Bodensee-Königssee-Radweg.

In einem Rechtsbogen an der Post rechts vorüber ~ gleich darauf links in die **Dammsteggasse** abzweigen ~ auf dem Radweg am Bahndamm und der Eisenbahnbrücke entlang.

Tipp: Wenn Sie sich nach der Eisenbahnbrücke nach links wenden, befinden Sie sich direkt auf dem Bodensee-Radweg. Die genaue Route finden Sie hierfür im *bikeline*-**Radtourenbuch Bodensee-Radweg** beschrieben.

Nach der Eisenbahnbrücke rechts in die Straße **Aeschacher Ufer** ~ einige hundert

Schönau
Schloss Schönbühl
Niederhaus
Egghalden
Hubers
Schatten
Mittenbuch
Greit
Tobel
Feßlers
Gwiggen
Kloster Maria Stern
Essenreute
Bodolz
Heimesreutin
Witzigmänn
Diezlings
Hoyerberg
Bosenreutin
Weidach
1
Motzach
Hoyren
Streitelsfingen
Erlesberg
Ramsach
4,5
Berg
Andreute
Oberreutin
Höflings
Schachen
Moos
Wannenthal
Hangnach
Leonhards
Bodensee-Radweg
Geigers
Oberhochsteg
Aeschach
Reutin
Großen
Rickenbach
Stadler
Bildstein
Aeschacher Ufer
Hangnachweg
Giggelstein
Stegen
Lindau
Kleiner See
Bregenzer Straße
Güterbahnhof Lindau-Reutin
Hörbranz
Brantmann
Seebrücke
Insel Hoy
Weidach
Ziegelbach
Lutzenreute
Cavazzen
1,5
Schüssellehen
Hauptbahnhof
Gerhart-Hauptmann-Straße
Backenreute
Römerbad
Fronhofen
Ruggburg
Leiblach
Zech
Eplisgehr
Unterhochsteg
Alberloch
Eichenberg
Wesen
Hofen
Bodensee
Eglisberg
Ebnet
Bäumle
Fürberg
Halden
Fallenberg
Lochau
Juggen
Bodensee-Radweg
17
Jungholz
Hausreute
Hof
Am Stein
Hub

Meter weiter nach rechts in einen Radweg abzweigen ⇝ nun entlang des **Kleinen Sees** ⇝ am Kreisverkehr in Höhe der **Seebrücke** die Ausfahrt in die **Bregenzer Straße** nehmen ⇝ vor den Bahngleisen rechts auf den befestigten Rad- und Fußweg der **Ladestraße** ⇝ am Ufer des Bodensees entlang ⇝ vor der asphaltierten T-Kreuzung der **Eichwaldstraße** rechts auf den unbefestigten Radweg ⇝ am Eislaufplatz und am Strandbad Eichwald vorüber ⇝ danach links und gleich darauf rechts in die **Eichwaldstraße**.

Tipp: Vor den Bahngleisen nach rechts und Sie befinden Sich direkt auf dem Bodensee-Radweg. Genauere Informationen zur Strecke erhalten Sie im ***bikeline*-Radtourenbuch Bodensee-Radweg.**

Geradeaus über die Bahngleise bis zur verkehrsreichen **Bregenzerstraße** ⇝ an der T-Kreuzung links ⇝ kurz darauf rechts in den Radweg ⇝ am Sportplatz links vorüber ⇝ danach endet der Radweg ⇝ geradeaus auf der **Gerhart-Hauptmann-Straße** ⇝ durch eine Wohnsiedlung auf teilweise gepflasterter Straße.

Am Ortsende von Lindau steil bergauf Richtung Rickenbach ⇝ über die Autobahnbrücke und danach bergab ⇝ an der Kreuzung links wieder Richtung Lindau.

Tipp: Zur Rechten die Staatsgrenze zur Republik Österreich.

Kurz danach rechts in den **Hangnachweg** mit einer 7,5-Tonnen Beschränkung ⇝ in einem starken Bogen bergauf ⇝ auf der Asphaltstraße in Kurven durch den Wald ⇝ zur Rechten ein Gasthof ⇝ an einer Kleingärtner-Siedlung vorüber ⇝ geradaus weiter in die **Leiblachstraße** an einigen Häusern vorüber ⇝ danach in einem Links-Rechtsbogen steil bergauf ⇝ leicht bergab in den Wald hinein ⇝ an der T-Kreuzung rechts in die **Alte Landstraße** Richtung Sigmarszell.

Sigmarszell, Thumen

Danach bergauf ⇝ an der nächsten T-Kreuzung links ⇝ gleich darauf an der Vorfahrtsstraße der B 308 rechts auf den Rad- und Fußweg ⇝ nach 500 Metern den Radweg nach links Richtung Hergensweiler verlassen ⇝ steil bergauf an einigen Höfen vorüber ⇝ in Kurven ⇝ an der Gabelung in einem starken Linksbogen bergab ⇝ an der darauffolgenden Gabelung rechts in den Weg **Hergensweiler** ⇝ bergauf in den Ort Hergensweiler.

Hergensweiler

PLZ: 88138; Vorwahl: 08388

Verkehrsverein, ✆ 217

Heimatmuseum, ÖZ: März - Nov., jeder erste und dritte

Sonntag im Monat 10.30-13 Uhr. Führungen nach telefonischer Vereinbarung, ✆ 589 und 273. Das Heimatmuseum entstand in den 30er Jahren durch den Trachtenverein geführt von Georg Schweinberge. Gegen Ende des 18. Jhs. wurde erstmals ein Museumsverein gegründet. Die Dorfgeschichte der Bewohner von Hergensweiler und auch textile Kostbarkeiten werden heute den Besuchern zur Schau gestellt. Der Sammelschwerpunkt des Museums richtet sich allerdings hauptsächlich auf religiöse Objekte. Das Heimatmuseum besitzt eine der interessantesten Spezialsammlungen der Volksfrömmigkeit in Süddeutschland.

Hergensweiler gehörte zu Österreich und wurde 1805 nach den Friedensverträgen von Brünn und Pressburg Bayern angeschlossen.

Von Hergensweiler nach Maria Tann 12 km

Sie folgen dem Straßenverlauf durch den Ort ~ an der Kreuzung geradeaus in die **Dorfstraße** ~ am Gasthof und der Kirche vorüber ~ in Höhe der Kirche kurzzeitig auf gepflasterter Straße ~ danach leicht bergab ~ nach dem Ort an der Gabelung geradeaus Richtung Stockenweiler ~ leicht bergauf zum nächsten Ort.

Stockenweiler

An der Vorfahrtsstraße im Ort rechts ~ vorerst ein Stück auf der verkehrsreichen B 12 ~ nach einigen Metern auf den linksseitigen Rad- und

Fußweg der B 12 ~ nach einem Kilometer endet dieser in Höhe der Bahnschranke ~ hier folgen Sie dem Schild links über die Bahngleise ~ danach in einem starken Rechtsbogen ~ weiter geradaus auf dem asphaltierten Landwirtschaftsweg.

Durch ein Waldstück ~ an der T-Kreuzung rechts ~ bei der Bahnschranke links in Richtung Adelgunz auf den Landwirtschaftsweg mit einer Gewichtsbeschränkung von 3 Tonnen ~ durch ein kleines Wäldchen ~ in Kurven parallel zu den Bahngleisen ~ leicht hinauf ~ an einem Hof vorüber und weiter geradeaus bis nach Hergatz.

Hergatz

Am Ortsbeginn bergab ~ an der T-Kreuzung weist ein Radschild nach rechts ~ im Ort leicht bergab ~ auf der mäßig stark befahrenen LI 15 über die Bahngleise ~ am Ortsende von Hergatz rechts auf den Rad- und Fußweg der B 12 ~ unter der Brücke der B 12 hindurch ~ weiter Richtung Opfenbach ~ der Radweg wechselt nun auf die linke Straßenseite ~ in Wigratzbad endet der Radweg.

Wigratzbad

Im Ort beim Hotel-Gasthaus Löwen links Richtung Bleichen ~ nach dem Ort leicht bergauf in die Siedlung Wigratz.

Wigratz

Nach der kleinen Siedlung wellig dahin bis nach Bleichen.

Bleichen

Im Ort dem Straßenverlauf durch die Siedlung folgen ~ an der Gabelung weist das Radschild links ~ danach steil bergab ~ über eine Brücke ~ an der darauffolgenden Gabelung rechts auf die Straße **An der Reutenmühle** ~ leicht bergauf ~ an der Vorfahrtsstraße rechts ~ an einem Haus vorüber ~ unter der Eisenbahnbrücke hindurch ~ danach links in Richtung Muthen und Maria-Tann ~ steil bergauf nach Muthen.

Muthen

Dem Straßenverlauf durch den Ort folgen ~ bergauf bis nach Maria-Tann.

Maria-Tann

Von Maria Tann nach Gestratz 12 km

In Kurven durch den Ort ~ zur Rechten liegt die Wallfahrtskirche von Maria-Tann ~ danach folgen Sie dem Radschild nach rechts ~ die Straße führt bergauf ~ nach den letzten Häusern endlich bergab ~ an der T-Kreuzung rechts ~ an der Gabelung links Richtung Lengatz und Edelitz ~ bis zum Ortsbeginn von Lengatz leicht bergauf.

Lengatz

Durch die kleine Siedlung ~ danach leicht hinunter bis in den nächsten Ort.

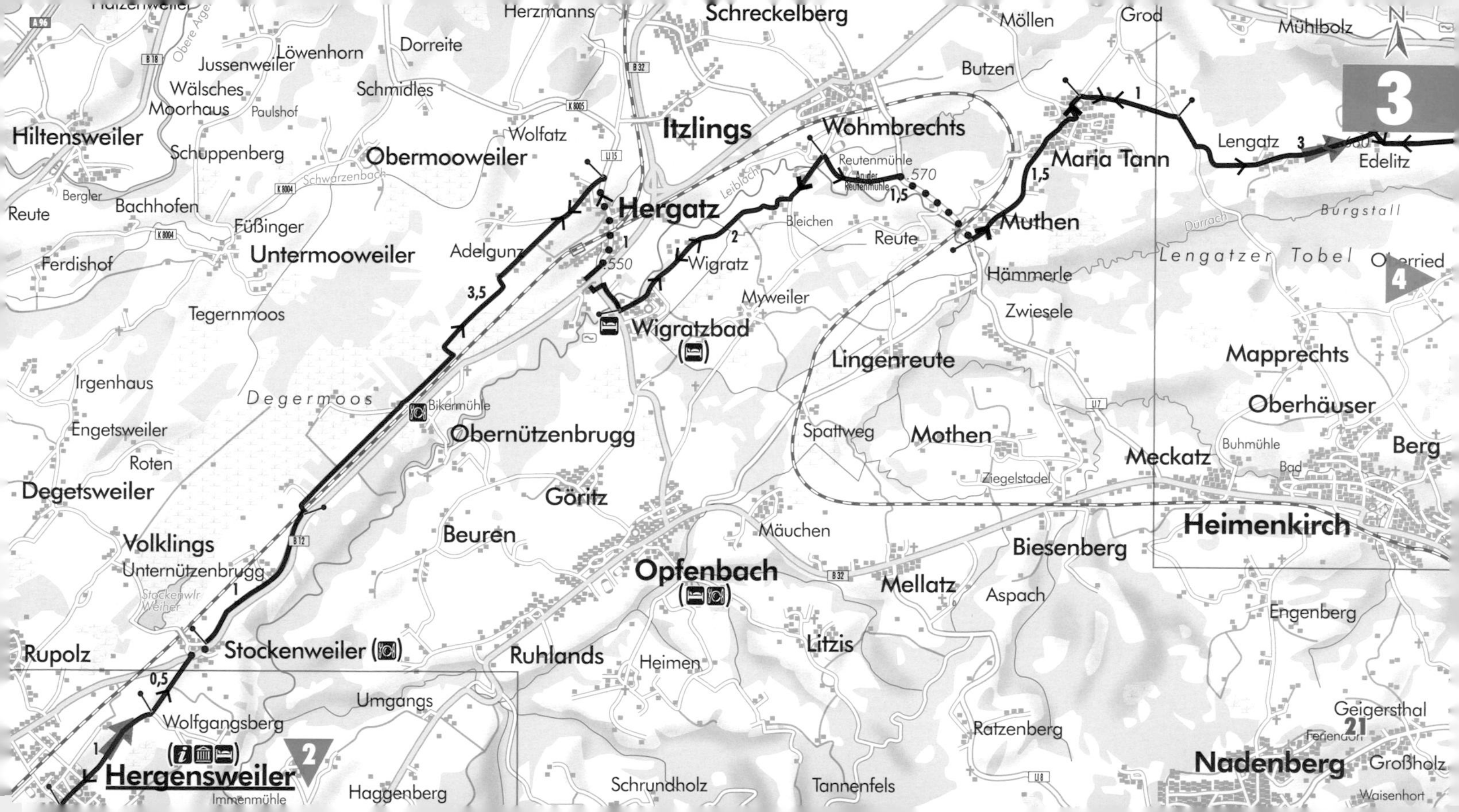

Herzmanns
Schreckelberg
Möllen
Grod
Mühlbolz
Löwenhorn
Dorreite
Jussenweiler
Wälsches
Moorhaus
Paulshof
Schmidles
Butzen
3
Hiltensweiler
Schuppenberg
Wolfatz
Itzlings
Wohmbrechts
Obermooweiler
Lengatz
Edelitz
Maria Tann
Reutenmühle
570
Schwarzenbach
Bergler
Reute
Bachhofen
Hergatz
Leiblach
Bleichen
Muthen
Burgstall
Füßinger
Reute
Dürrach
Ferdishof
Untermooweiler
Adelgunz
550
Wigratz
Lengatzer Tobel
Oberried
Hämmerle
4
3,5
Myweiler
Tegernmoos
Zwiesele
Wigratzbad
Lingenreute
Mapprechts
Irgenhaus
Degermoos
Bikermühle
Oberhäuser
Engetsweiler
Obernützenbrugg
Spattweg
Mothen
Buhmühle
Berg
Roten
Meckatz
Bad
Ziegelstadel
Degetsweiler
Göritz
Heimenkirch
Volklings
Beuren
Mäuchen
Biesenberg
Unternützenbrugg
Opfenbach
Mellatz
Stockenwlr Weiher
Aspach
Engenberg
Rupolz
Stockenweiler
Ruhlands
Litzis
Heimen
Umgangs
Geigersthal
Wolfgangsberg
Ratzenberg
Ferienorf
Hergensweiler
2
Nadenberg
Großholz
Schrundholz
Tannenfels
Haggenberg
Immenmühle
Waisenhort
A 96
B 18
B 32
K 8005
L 115
K 8004
B 12
L 7
L 8

Edelitz

In Edelitz an einigen Höfen vorüber ~ beim Verlassen der Siedlung leicht bergauf und wieder bergab ~ an der T-Kreuzung mit Wegkreuz dem Radschild nach links folgen ~ in Kurven steil bergab ~ links am **Schloss Syrgenstein** vorüber ~ an der Vorfahrtsstraße der B 12 rechts auf den straßenbegleitenden Radweg ~ über die Brücke der Oberen Argen ~ der Radweg endet im nächsten Ort.

Eglofs

Auf der mäßig stark befahrenen B 12 durch Eglofs ~ nach 500 Metern rechts Richtung Steinegaden in den Weg mit einer Gewichtsbeschränkung von 7,5 Tonnen ~ kurz darauf links Richtung Eyb und Gestratz ~ immer geradeaus ~ ziemlich wellig dahin ~ an der Gabelung rechts ~ entlang einer Siedlung ~ danach bergauf in den Wald ~ kurzzeitig bergab und abermals stark bergauf ~ zur Rechten das Gewässer **Obere Argen** ~ bergab verlassen Sie den Wald ~ an der Gabelung vor der Brücke links auf die Asphaltstraße nach Malaichen.

Malaichen

Dem Straßenverlauf durch Malaichen folgen ~ links an einem Gasthof vorüber ~ an der Gabelung weiter auf Asphalt ~ an der Vorfahrtsstraße links nach Zwickenberg.

Zwickenberg

Kurzzeitig auf mäßig stark befahrener Straße ~ im Ort nach rechts und weiter geradeaus bis nach Gestratz.

Gestratz

PLZ: 88167; Vorwahl: 08383

- **Gemeinde Gestratz**, Schulstr. 1, ☎ 223
- **Pfarrkirche**, nach einem beträchtlichen Zusammenfall wurde diese im 14. Jh. nochmals neu aufgebaut. Die Kirche wurde vom Bischof von Konstanz geweiht. Unter anderem wird die Geschichte Jesu auf den Chorwänden dargestellt.

Jahrhunderte lang war Gestratz ein aufregendes Ritternest. Römer und Kelten verweilten in diesem Gebiet, errichteten Schanzen, Befestigungsanlagen und ein Straßennetz.

Gestratz fand im 11. Jahrhundert erstmals eine urkundliche Erwähnung. Damals war es unter dem Namen „Gesträze" bekannt.

Von Gestratz nach Oberstaufen 14,5 km

Dem Straßenverlauf folgen ~ nach der Kirche rechts in die **Grünenbacher Straße** Richtung Oberstaufen ~ an zwei Hotels vorüber ~ über die Brücke in den nächsten Ort.

Thalendorf

In einem starken Linksbogen bergauf ~

Steinberg
Schwinders
Linzigs
Untervorholz
Isnyberg
Dorenwaid
Rauen
Birkach
Bühl
Straß
Aschen
Greut
Oberinsnyberg
Lanzenberg
4
Zellers
Edenhaus
Waibelhof
Hofs
Staudach
Obervorholz
Birkhardt
Kolbenberg
Isnerberg
Stoffels
Bellmannshöfle
Osterwladreute
Zimmermannshof
Rutzenbach
Reute
Heuberg
Lengersau
Biegen
Hasenreute
St 2378
Hummelberg
Herrgottswiesen
840
Osterwald
Burg
Mühlbolz
Schaulings
Rutzen
Straß
Tannen
B 12
Eglofstal
1
Eglofs
Hochglend
Bothentöbele
605
1,5
Syrgenstein
Schloss Syrgenstein
Dinnersberg
Leiden
1
Malaichen
Eyb
Ehrlach
Hubers
3
660
1
Malleichen
Brugg
Schnattern
Kenners
Edelitz
Höll
2
Kössentöbele
Lengatz
Harratried
Brettweg
Pfarrkirche
Ried
Altenburg
Horben
Eggen
Schmalenberg
Gestratz
Obsteig
gatzer Tobel
Harratrieder Bach
Obere Argen
Hofs
1,5
Oberried
ehem. Burg Tannenfels
Burgstall
Untsteig
3
Zwickenberg
Bauschwanden
Altensberg
Burgstall
Unterried
Giesenberg
Mapprechts
Oberschmitten
Thalendorf
Eistobelbrücke
Wolfertshofen
Au
Grünebach
Oberhäuser
Happareute
Steinegaden
Unterschmitten
Bad Altensberg
Kimpflen
Menzen
Heimenkirch
3
Burgstall
Schneit
Staufenberg
Egg
Berg
St 2001
Grünenbach
Stein
Schneitholz
B 32
Wigglis
Burg
5
Motzgatsried
Röthenbach
In der Schneit
L 15
St 1318
Engenberg
Hammerschmiede
Dreiheiligen
Leubenberg

rechts Richtung Altensberg ⤳ leicht bergab ⤳ dem Straßenverlauf Richtung Altensberg folgen ⤳ in Kurven durch den Ort.

Über eine kleine Brücke nach links ⤳ danach in einem Linksbogen steil bergauf ⤳ an der Gabelung dem Radschild nach links folgen ⤳ steil bergauf bis nach Altensberg.

Altensberg

Bei den ersten Häusern von Altensberg links Richtung Schneitholz ⤳ an der nächsten Gabelung wieder links ⤳ nach dem Ort leicht bergab ⤳ links an einem Gasthof vorüber ⤳ auf Asphalt in einem Rechtsbogen in den Wald hinein und weiter bis zum nächsten Ort.

Schneit

Dem Asphaltband durch Schneit folgen ⤳ in einem Linksbogen erneut in den Wald ⤳ von der Straße **In der Schneit** an der Vorfahrtsstraße links auf den Radweg ⤳ parallel zur St 2001 bergab bis nach Schönau.

Schönau

Nach einem Kilometer endet der Radweg im Ort ⤳ nach rechts in die **Heimhofer Straße** Richtung Heimhofen und Rutzhofen ⤳ steil bergauf und kurvenreich ⤳ unter der Eisenbahnbrücke hindurch ⤳ linker Hand eine kleine Kapelle ⤳ steil bergauf bis zum nächsten Ort.

Heimhofen

Durch Heimhofen Richtung Rutzhofen etwas bergauf.

Rutzhofen

Im Ort dem Straßenverlauf folgen ⤳ an der Vorfahrtsstraße links Richtung Mittelhofen.

Mittelhofen

Für zirka 1,5 Kilometer auf mäßig stark befahrener Straße ⤳ im Ort rechts am Gasthof und einer Ferienwohnung vorüber ⤳ nach dem Ort leicht bergab bis nach Stiefenhofen.

Stiefenhofen

An der Vorfahrtsstraße in Stiefenhofen vor der Kirche rechts Richtung Oberstaufen ⤳ bergab an einem Gasthof und Hotel vorüber ⤳ danach nach rechts ⤳ an der kommenden Gabelung wieder rechts.

Gleich darauf links in den Weg **Auf der Höhe** Richtung Genhofen (Radschild vorhanden) ⤳ am Ortsende stark bergauf und wieder bergab ⤳ auf Asphalt bis nach Ranzenried.

Ranzenried

Sie passieren den Ort Ranzenried ⤳ stark bergab ⤳ dem Straßenverlauf in Kurven fol-

gen ~ wieder bergauf bis in den nächsten Ort.

Genhofen

An der Vorfahrtsstraße weist das Radschild nach links Richtung Oberstaufen ~ nach Genhofen rechts in die Straße mit einer 16-Tonnen Beschränkung Richtung Oberstaufen.

Moosmühle

An der Moosmühle (Sägewerk) vorüber ~ danach folgt eine Linkskurve ~ die Straße wird etwas breiter ~ auf der **Argenstraße** geradeaus nach Oberstaufen.

Oberstaufen

PLZ: 87534; Vorwahl: 08386

- **Kurverwaltung im Haus des Gastes**, Hugo-von-Königsegg-Str. 8, ✆ 93000
- **Heimatmuseum „Strumpfarhüs"**, Jugetweg 10, ✆ 1300
- **Bauernmuseum-Museum Knechtenhofen**, ✆ 08325/9760
- **Kinomuseum**, Haus des Gastes.
- **kath. Filialkirche St. Bartholomäus**
- Infos zu **Naturlehrpfaden** und geführten **Wanderungen** erhalten Sie bei der Kurverwaltung.
- **Meerwasser-Schwimmbad**, Mühlenstr. 16, ✆ 4930

Von Oberstaufen nach Immenstadt 17,5 km

In der Wohnsiedlung von Oberstaufen links in die Gasse **In den Pfalzen** ~ unter der Eisenbahnbrücke hindurch ~ danach leicht bergauf ~ am Hotel vorüber ~ bei der Schneiderei links hinauf zur Vorfahrtsstraße ~ Sie überqueren die **Isnyerstraße** und somit geradeaus in die **Bgm.-Hertlein-Straße**.

Die **Bgm.-Hertlein-Straße** ist mäßig stark befahren ~ nach einigen 100 Metern auf den linksseitigen Radweg ~ an der Kreuzung links auf den Radweg der **Kalzhofer Straße** ~ an einer Grund- und Hauptschule vorüber.

Nach einem Kilometer endet der Radweg an der Vorfahrts-

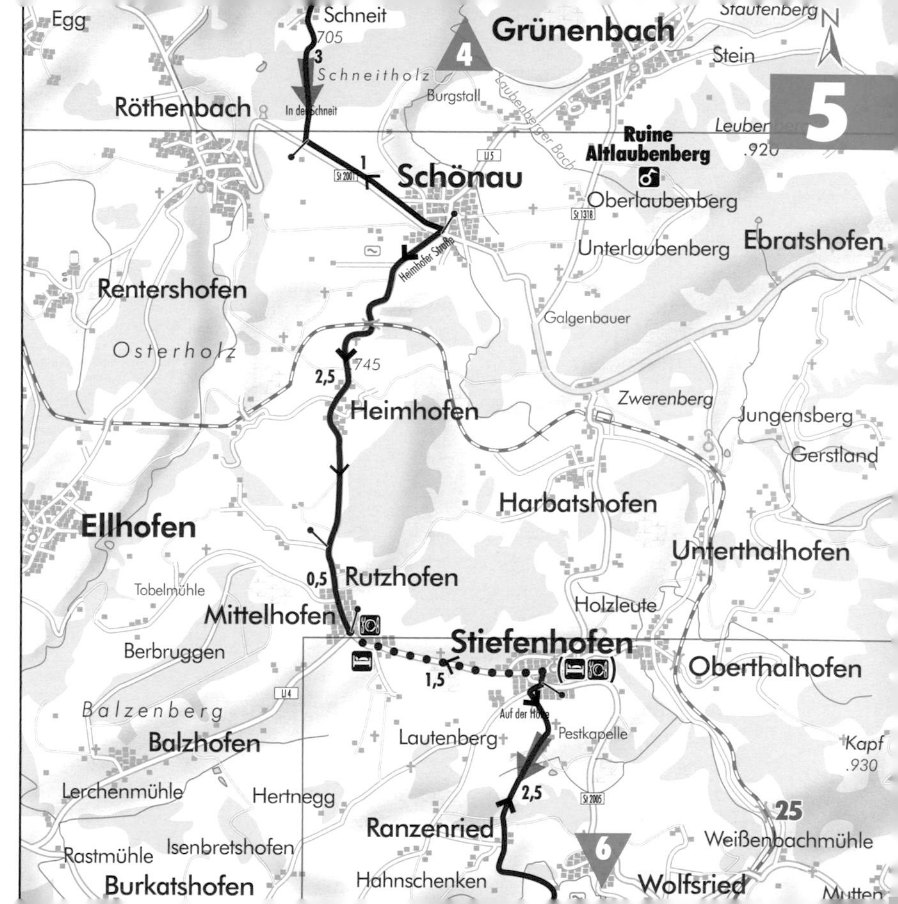

straße ~ hier nach rechts ~ für zirka 500 Meter auf mäßig stark befahrener Straße ~ danach auf den rechtsseitigen Radweg nach Wengen.

Wengen

Auf dem asphaltierten Radweg durch den Ort ~ vor der Eisenbahnbrücke wechselt der Radweg auf die linke Straßenseite ~ unter der Bahn hindurch ~ danach folgt eine Brücke und davor links Richtung Knechtenhofen ~ weiter geradeaus bis nach Knechtenhofen.

Knechtenhofen

An einer kleinen Kapelle rechts vorüber ~ danach an einigen Höfen und einer Pension vorüber zum nächsten Ort.

Salmas

Dem Straßenverlauf geradeaus bis nach Lamprechts folgen.

Lamprechts

Im Ort leicht bergauf ~ zur Rechten ein Gasthof ~ danach leicht bergab bis nach Wiedemannsdorf.

Wiedemannsdorf

Geradeaus durch den Ort ~ über Bahngleise ~ in die **Salzstraße** ~ an einem Gasthof und einem Lebensmittelgeschäft vorüber ~ ein kurzes Stück durch eine Allee

~ über die Gleise ~ danach links in den **Moosweg**.

Tipp: Nach den Bahngleisen stehen Bänke für eine kleine Rast zur Verfügung.

In einem Linksbogen nochmals über die Bahngleise ~ danach in einem Rechtsbogen ~ an einem Brunnen vorüber ~ über eine kleine Brücke auf dem Weg links der Bahngleise ~ ein Stück leicht bergauf ~ an einigen Häusern vorüber ~ danach in einem Rechts-Linksbogen leicht bergab ~ wieder an einer kleinen Siedlung vorüber Richtung Ratholz ~ vor dem nächsten Bahnübergang links auf den Radweg.

Dem Radschild über eine kleine Holzbrücke folgen ~ der Radweg ist asphaltiert und verläuft links parallel der Bahngleise ~ dieser endet nach 500 Metern nach Überquerung einer weiteren Holzbrücke.

Auf dem Forstweg links der Bahngleise weiter ~ über eine kleine Brücke ~ zur Rechten ein schöner Ausblick auf den **Großen Alpsee** ~ bis zur nächsten Ortschaft überqueren Sie immer wieder kleine Brücken ~ in einem scharfen Linksbogen zu den ersten Häusern der Ortschaft Trieblings.

Trieblings

Der Asphaltstraße in einem Rechtsbogen folgen ~ nach dem Ort wieder links des Großen Alpsees und der Gleise ~ über eine kleine Brücke ~ weiter geradeaus und leicht bergauf bis nach Alpseewies.

Alpseewies

Beim Verlassen der Siedlung Alpseewies führt die Straße leicht bergab.

Tipp: Nach Alpseewies, bietet sich ein wunderschöner Ausblick auf den Großen Alpsee. Für eine kleine Rast stehen hier zwei Bänke bereit.

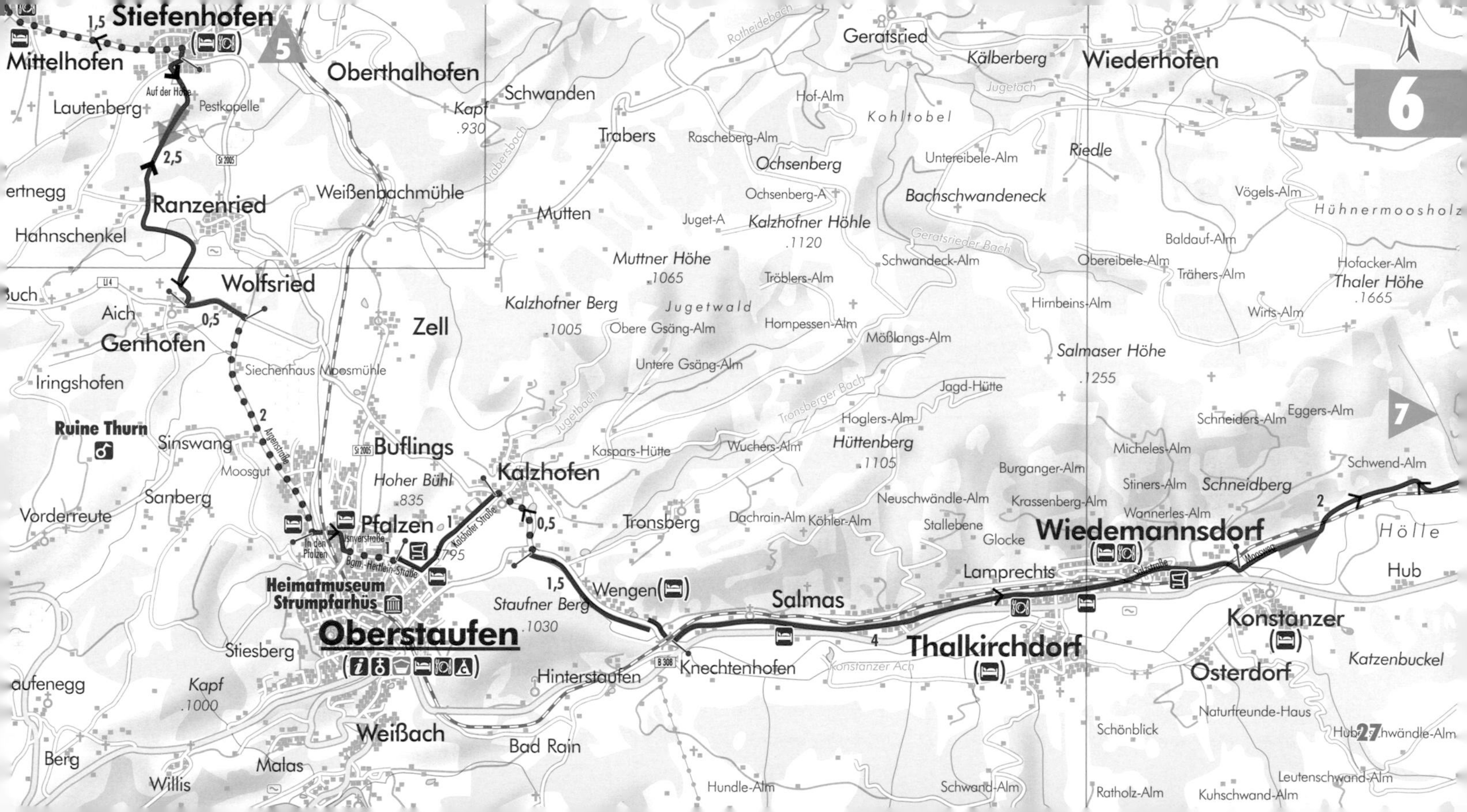

Stiefenhofen
Mittelhofen
Oberthalhofen
5
6
7
Geratsried
Kälberberg
Wiederhofen
Schwanden
Lautenberg
Pestkapelle
Auf der Höhe
Kapf
.930
Trabers
Rascheberg-Alm
Hof-Alm
Kohltobel
Ochsenberg
Untereibele-Alm
Riedle
Ranzenried
Weißenbachmühle
Mutten
Ochsenberg-A
Bachschwandeneck
Vögels-Alm
Hühnermoosholz
Hahnschenkel
Juget-A
Kalzhofner Höhle
.1120
Baldauf-Alm
Muttner Höhe
.1065
Schwandeck-Alm
Obereibele-Alm
Trähers-Alm
Hofacker-Alm
Thaler Höhe
.1665
Wolfsried
Tröblers-Alm
Aich
Kalzhofner Berg
.1005
Jugetwald
Hirnbeins-Alm
Wirts-Alm
Genhofen
Zell
Obere Gsäng-Alm
Hornpessen-Alm
Mößlangs-Alm
Salmaser Höhe
.1255
Siechenhaus
Moosmühle
Untere Gsäng-Alm
Iringshofen
Jagd-Hütte
Eggers-Alm
Schneiders-Alm
Ruine Thurn
Hoglers-Alm
Sinswang
Buflings
Kaspars-Hütte
Wuchers-Alm
Hüttenberg
.1105
Micheles-Alm
Schwend-Alm
Moosgut
Kalzhofen
Burganger-Alm
Hoher Bühl
.835
Stiners-Alm
Schneidberg
Sanberg
Neuschwändle-Alm
Krassenberg-Alm
Vorderreute
Wannerles-Alm
Pfalzen
Tronsberg
Dachrain-Alm
Köhler-Alm
Stallebene
Glocke
Wiedemannsdorf
Hölle
Hub
Lamprechts
Heimatmuseum
Strumpfarhüs
Wengen
Salmas
Staufner Berg
.1030
Konstanzer
Oberstaufen
Thalkirchdorf
Stiesberg
Knechtenhofen
Katzenbuckel
Osterdorf
Kapf
.1000
Hinterstaufen
Konstanzer Ach
Naturfreunde-Haus
Schönblick
Weißbach
Bad Rain
Berg
Malas
Willis
Hundle-Alm
Schwand-Alm
Ratholz-Alm
Kuhschwand-Alm
Leutenschwand-Alm

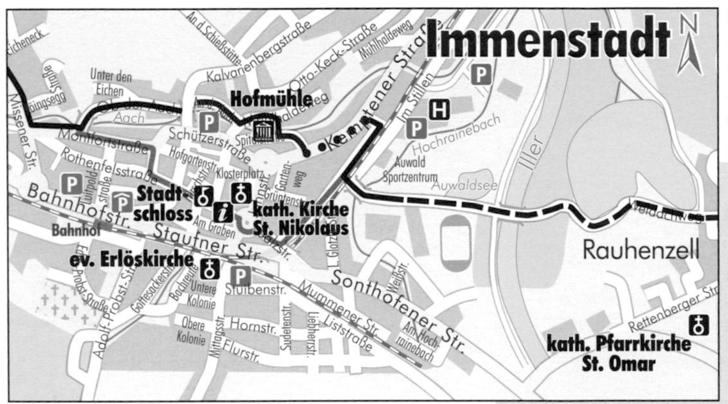

Abermals über eine kleine Brücke ~ zur Rechten das Strandbad ~ geradeaus bis nach Bühl am Alpsee.

Bühl am Alpsee

Am Ortsbeginn in die Zone 30 des **Trieblingser Weges** ~ an der Vorfahrtsstraße links in die Straße **In der Hub** ~ vor der nächsten Vorfahrtsstraße rechts in den Radweg ~ vorbei am Freibad Kl. Alpsee.

Unter der Vorfahrtsstraße hindurch ~ somit auf dem linksseitigen Radweg der **Missener Straße** bis nach Immenstadt ~ am Beginn von Immenstadt endet der Radweg ~ weiter auf dem breiten Gehsteig bis zur Vorfahrtsstraße.

Immenstadt

PLZ: 87509; Vorwahl: 08323

Gäste-Information, Seestr. 5, ✆ 914178

Gäste-Information, Marienplatz , ✆ 914176

Museum-Hofmühle, An der Aach 14. ÖZ: Mi-So, 14-17 Uhr; Mo, Di geschlossen. Äußerst sehenswert ist die neue Abteilung „Immenstadt im Industriezeitalter". Sie bietet spannende Einblicke in die letzten einhundert Jahre Stadtgeschichte. Auf über 1.000 m² Ausstellungsfläche gibt es für den Besucher viel zu entdecken. Jährlich werden mehrere Sonderausstellungen präsentiert und es finden Kunstabende mit bekannten Künstlern statt.

Bergbauernmuseum, ✆ 08320/709670

Mittagschwebebahn, ✆ 6149, ÖZ: ganzjährig

Sternwarte Oberallgäu e. V., ✆ Knottenried, ✆ 4706

Bootfahren und Windsurfing, Großer Alpsee

Alpenrundflüge, Segelflugplatz Agathazell, ✆ 08321/81828

Freibad Kleiner Alpsee, ✆ 8720, ÖZ: Juni-Sept. 9-19 Uhr.

Die Ortsbezeichnung Immenstadt stammt ursprünglich vom Wort „Ymendorff". Der Ort wurde bereits im Jahr 1360 durch Wilhelm Graf zu Montfort zur Stadt erhoben.

1960 wurde das sechshundertjährige Bestehen der Stadt groß gefeiert. Für Immenstadt ist internationale Zusammenarbeit und das Kennenlernen von verschiedenen Kulturen von großer Bedeutung. Aus diesem Grund hat Immenstadt Städtepartnerschaften mit Lillebonne (Frankreich) und Wellington (Großbritannien) begründet.

Tipp: Für die Durchfahrt durch Immenstadt bieten wir Ihnen eine Variante durch die schmucke Innenstadt der Stadt. Diese ist in der Karte und im Stadtplan ersichtlich.

Von Immenstadt nach Kranzegg — *11 km*

An der Vorfahrtsstraße links in die **Montfortstraße** ~ vor der Bäckerei-Konditorei links in den Radweg ~ über die kleine Holzbrücke müssen Sie ihr Rad schieben ~ danach im Rechtsbogen auf den unbefestigten Weg ~ am Parkplatz und am Kraftwerk Ach vorüber.

Auf dem Radweg zur Vorfahrtsstraße und geradeaus in den geschotterten Rad- und

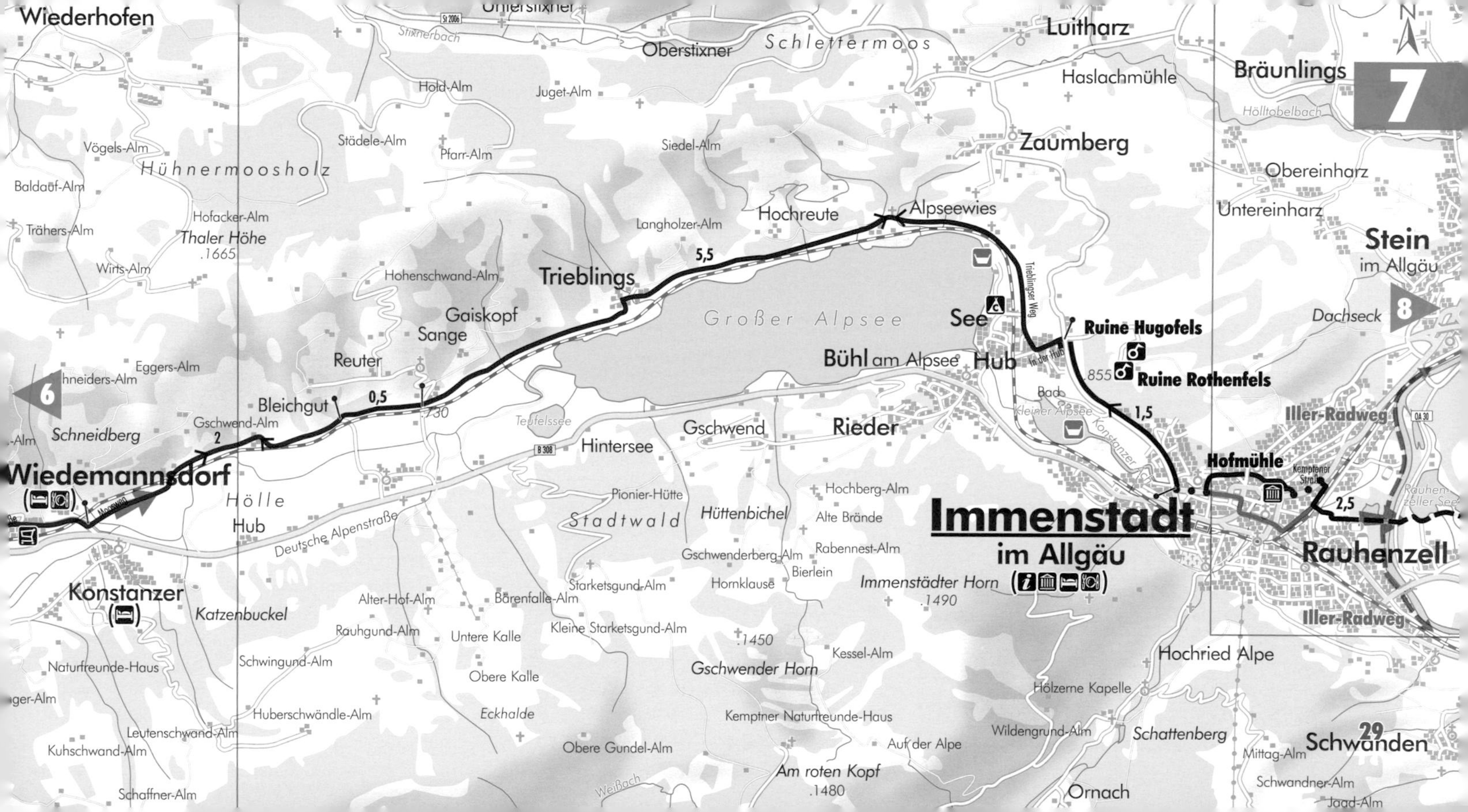
Wiederhofen
Oberstixner
Schlettermoos
Luitharz
Bräunlings
7
Haslachmühle
Hold-Alm
Juget-Alm
Stixnerbach
Hölltobelbach
Zaumberg
Städele-Alm
Pfarr-Alm
Siedel-Alm
Vögels-Alm
Hühnermoosholz
Obereinharz
Baldauf-Alm
Untereinharz
Hofacker-Alm
Hochreute
Alpseewies
Trähers-Alm
Thaler Höhe
.1665
Langholzer-Alm
Stein
im Allgäu
5,5
Wirts-Alm
Hohenschwand-Alm
Trieblings
Trieblingser Weg
8
Gaiskopf
Großer Alpsee
See
Ruine Hugofels
Dachseck
Sange
Reuter
Bühl am Alpsee
Hub
In der Hub
Eggers-Alm
.855
Ruine Rothenfels
6
Schneiders-Alm
Bleichgut
0,5
Bad
1,5
.730
Kleiner Alpsee
Iller-Radweg
Gschwend-Alm
Teufelssee
Schneidberg
Gschwend
Rieder
2
Hintersee
B 308
Konstanzer
Hofmühle
Kemptener Straße
Wiedemannsdorf
Pionier-Hütte
Hochberg-Alm
Rauhenzeller See
Hölle
2,5
Moosweg
Hub
Stadtwald
Hüttenbichel
Alte Brände
Immenstadt
Deutsche Alpenstraße
Gschwenderberg-Alm
Rabennest-Alm
im Allgäu
Rauhenzell
Konstanzer
Bierlein
Starketsgund-Alm
Hornklause
Immenstädter Horn
.1490
Alter-Hof-Alm
Bärenfalle-Alm
Katzenbuckel
Rauhgund-Alm
Untere Kalle
Kleine Starketsgund-Alm
Iller-Radweg
.1450
Kessel-Alm
Hochried Alpe
Naturfreunde-Haus
Schwingund-Alm
Gschwender Horn
Obere Kalle
Hölzerne Kapelle
ager-Alm
Huberschwändle-Alm
Eckhalde
Kemptner Naturfreunde-Haus
Leutenschwand-Alm
Wildengrund-Alm
Schattenberg
Schwanden
Kuhschwand-Alm
Obere Gundel-Alm
Auf der Alpe
Mittag-Alm
Am roten Kopf
Schwandner-Alm
Schaffner-Alm
Weißbach
.1480
Ornach
Jagd-Alm

Fußweg ~ unter der Brücke hindurch ~ danach endet der Radweg ~ weiter auf der Straße **Maria Stern** ~ an einem Sonnenstudio vorüber ~ dem Straßenverlauf in einem Linksbogen in den **Mühlhaldeweg** folgen.

Danach rechts auf die Pflasterstraße Richtung Museum ~ auf dem gepflasterten Radweg am Museum-Hofmühle vorüber ~ danach über eine Brücke ~ nach der Brücke endet der Radweg ~ gegenüber befindet sich ein Altersheim und Waisenhaus ~ an der Vorfahrtsstraße links in die **Spitalstraße** ~ an der darauffolgenden Vorfahrtsstraße links auf die stark befahrene **Kemptener Straße** Richtung Kempten ~ geradeaus über die Ampelkreuzung ~ zirka 100 Meter danach rechts in den Rad- und Fußweg.

Immenstadt

Der Radweg ist gepflastert ~ an der T-Kreuzung rechts, dem Radschild folgen ~ an einem Basketballplatz vorüber ~ bei der ersten Möglichkeit links ~ unter der Eisenbahnbrücke hindurch ~ über eine Brücke ~ an einem Sportplatz vorüber in den gekiesten Radweg ~ am Auwald-Sportzentrum und -see vorüber ~ auf dem unbefestigten Weg geradeaus über die Brücke der Iller.

Tipp: Zur Zeit der Erhebung war der Radweg an dieser Stelle noch im Bau. Radschilder zum Bodensee-Königssee-Radweg waren hier leider keine vorhanden. Wenn Sie sich vor der Illerbrücke nach rechts oder links wenden gelangen sie direkt auf den Iller-Radweg. Die Route illerabwärts finden Sie im ***bikeline*-Radtourenbuch Iller-Radweg** beschrieben.

Nach der Brücke geradeaus über die Querstraße ~ danach weiter auf unbefestigtem Weg zum Rauhenzeller See ~ entlang des Sees ~ danach zu den ersten Häusern

Blick auf den Großen Alpsee

von Rauhenzell ~ der unbefestigte Radweg endet und in einem scharfen Linksbogen in den asphaltierten **Weidachweg**.

Rauhenzell

- Kath. Pfarrkirche St. Otmar
- Schloss Rauhenzell

An der Vorfahrtsstraße rechts in die **Buchwaldstraße** ~ an der darauffolgenden Vorfahrtsstraße links in die **Rettenberger Straße** Richtung Rettenberg ~ geradeaus aus dem Ort heraus ~ über die Brücke der Schnellstraße in einem Rechtsbogen leicht bergab.

8
9
7
Göhlenbühl
Lachen
Werderstein
Adelharz
Zellers
Gindels
Seifen
Hinterberg
Humbacher Berg
Emmereis
Tannen-Alm
870
Burgstall
Engelpolz
Keller
Buchenberg
Gnadenberg
Bellen
.1115
Auf dem Falken
Moosmühle
Reichen
Sterklis
Vorderburger Straße
Bräunlings
Flecken
Humbach
Vorderberg
Kranzegg
A-Adelharz
Freidorf
Sonthofener Straße
Gföhl-Alm
Kalchenbach
Burger Wald
Stein im Allgäu
Untermaiselstein
Martins-Alm
Breitensteiner Berg
Im Steinbruch
Neumayer-Alm
Schwarz-Alm
Kranzegger Straße
Burgberger Straße
Ruine Laubenbergerstein
Iller-Radweg
Iller
Rettenberg
Jörg-Alm
Zeller-Alm
Kölber Höfle
Weiher
Bergwacht-Hütte
Oberau
Jagd-Hütte
Greggenhofen
Bichel
Kammeregg-Alm
Kleine Mosbacher Alm
Immenstadt im Allgäu
Altach
Ruine Rauhlaubenberg
Obere Kammeregg-Alm
Herzlesstein
Gigglstein-Hütte
Goimoosmühle
Grunten-Alm
.1495
Gigglstein
Dienst-Hütte
Kemptener Straße
Rauhenzell
Rauhenzeller See
725
Buchwaldstraße
Rettenberger Straße
Wagneritz
Sennhütte
Schloss Rauhenzell
Gallmoos
Kalkhof
Roßberg
Kath. Pfarrkirche St. Otmar
.1740
Übelhorn
Segelflugplatz
Iller-Radweg
31

An der nächsten Vorfahrtsstraße dem Radschild nach rechts folgen ~ unter der Brücke der St 2006 hindurch ~ nach dem Tunnel links auf den rechtsseitigen Radweg ~ am Kreisverkehr die zweite Ausfahrt Richtung Rettenberg ~ nach dem Kreisverkehr steil bergauf bis nach Rettenberg ~ der Radweg endet am Ortsbeginn von Rettenberg.

Rettenberg

PLZ: 87549; Vorwahl: 08327

Gäste- und Sportamt, Burgberger Str. 15, ✆ 93040

Brauereiführungen, ganzjährig in der Engel-Brauerei und Privatbrauerei Zötler, Info. ✆ 93040

Robert Haneberg, ✆ 316

Rettenberg ist das südlichste Brauereidorf Deutschlands. Die Brautradition geht bis auf das Jahr 1447 zurück. Die beiden ortsansässigen Brauereien Zötler und Engelbräu sind die größten Arbeitgeber der Gemeinde und haben mit ihren beliebten Biersorten Rettenberg weit über die Grenzen des Allgäus bekannt gemacht.

Auf der mäßig stark befahrenen **Burgberger Straße** durch den Ort ~ am Brauerei-Gasthof Engelbräu und der Tourist-Information vorüber ~ zur Rechten die Kirche ~ nach dem Brauerei-Gasthof Landhotel rechts Richtung Füssen ~ am Rathaus links vorüber ~ nach einem Kilometer Fahrt auf mäßig stark befahrener Straße in einem Rechtsbogen auf den Radweg der **Kranzegger Straße**.

Blick auf Rottachsee

Tipp: Am Beginn des Radweges geht es nach rechts zum Kurpark und zu den Freizeitanlagen.

Der rechtsseitige Radweg ist asphaltiert und führt bis nach Kranzegg.

Kranzegg

Von Kranzegg nach Nesselwang 24 km

Im Ort an einigen Restaurants und Gasthöfen vorüber ~ der Radweg endet im Ort ~ für 500 Meter auf mäßig stark befahrener Straße durch Kranzegg ~ von der **Sonthofener Straße** in die **Vorderburger Straße** Richtung Kempten ~ den Ort Richtung Engelpolz verlassen ~ vor Engelpolz leicht bergauf.

Engelpolz

Durch Engelpolz nach Emmereis.

Emmereis

Durch Emmereis ~ zur Rechten eine Ferienwohnung ~ am Ortsende steil bergauf nach Vorderburg.

Vorderburg

In den Ort hinein steil hinunter ~ auf der **Kirchdorfer Straße** durch Vorderburg ~ links die Kirche und einige Gasthöfe.

Großdorf

Dem Verlauf der **Großdorfer Straße** im starken Rechtsbogen folgen ~ rechts das Café-Restaurant Burgschenke ~ an der Weggabelung rechts ~ danach steil bergab und kurvenreich weiter ~ links ein kleiner

Wald und weiter geradeaus bis in den nächsten Ort.

Rieder

Auf dem Asphaltband durch die kleine Siedlung ~ nach dem Ort wieder steil bergab und kurvig weiter ~ an der Gabelung dem Radschild rechts Richtung Oberzollhaus folgen ~ über eine kleine Brücke wieder steil bergauf.

Tipp: Ein Schild nach links weist auf Ferienwohnungen hin.

Am Abzweig auf dem Hauptweg bleiben ~ steil bergab ~ zur Linken der Rottachsee ~ am See entlang und steil bergauf ~ vor dem nächsten Ort bergab.

Petersthal

Zur Linken die Kirche ~ danach ein Gasthof ~ im Ort bei der Feuerwehr rechts in die Straße **Am Bux** ~ bergauf Richtung Memersch ~ bis zum nächsten Ort wellig dahin ~ vor Memersch leicht bergauf.

Memersch

Durch Memersch ~ zur Linken ein schöner Ausblick auf den Rottachsee ~ in Kurven bis zum nächsten Ort ~ davor etwas bergauf.

Haag

Geradeaus durch den Ort ~ rechts am Gasthof und links an der Kirche vorüber ~ an der Gabelung einfach geradeaus ~ nach dem Ort steil bergab nach Oy.

Oy

Bei der Sparkasse geradeaus in Richtung Sonnenapotheke ~ rechts die Kirche und der Ratskeller ~ nach links Richtung Wertstoffhof in die **Maria-Rainer-Straße**.

An der darauffolgenden Gabelung wieder Richtung Maria-Rain ~ beim Verlassen von Oy über die Gleise ~ danach leicht bergab ~ unter der Brücke der B 309 hindurch ~ an Scheunen vorüber und leicht bergauf ~ an der Gabelung rechts Richtung Guggemoos.

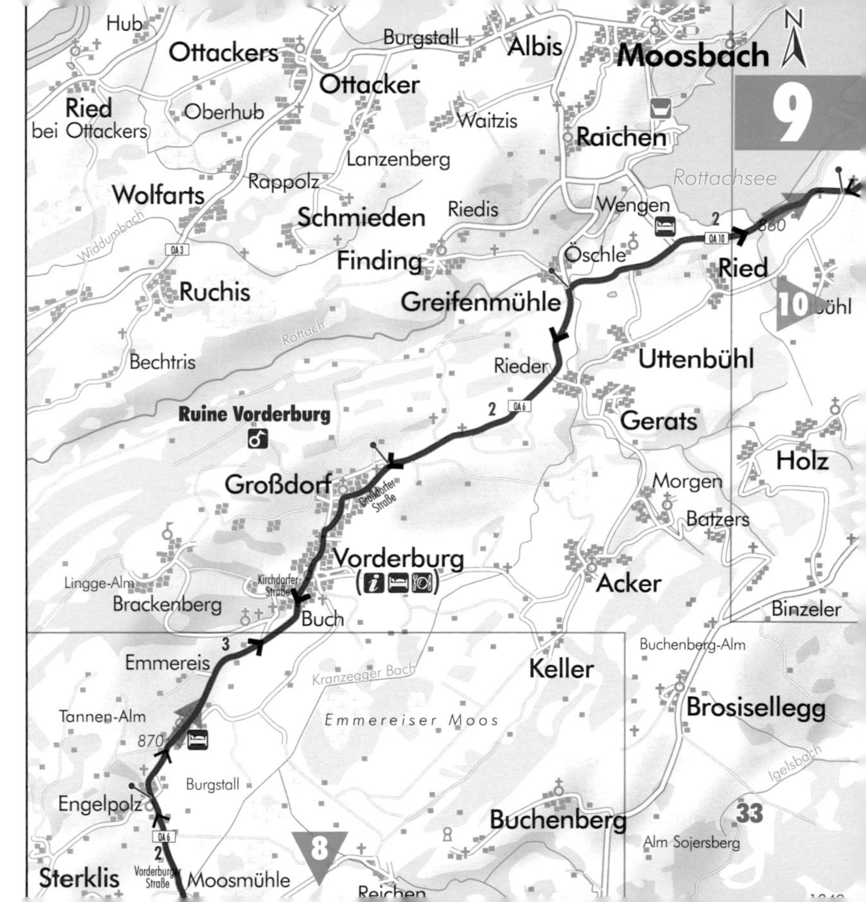

Guggemoos

Im Ort durch die Zone 30 ~ rechts liegt eine kleine Kapelle ~ den Ort Richtung Maria-Rain verlassen.

Maria-Rain

Im Ort kurvenreich dahin ~ an der Wallfahrtskirche „Zur lieben Frau" vorbei in Richtung Ortsausgang ~ zum Weiler **Rainen** ~ dort geradeaus weiter ~ dann geht es vor der **Wertachtalbrücke** links bergab ~ vorbei an der Bushaltestelle Maria-Rain ~ unter der **Wertachtalbrücke** hindurch nach Haslach.

Haslach

An der Hauptgabelung nach links ab ~ weiter über die **Wertachmühle** fahren ~ dort über die **Römerbrücke** ~ nach der Römerbrücke der Straße bergauf folgen.

Gschwend

Durch den Ortsteil Gschwend geradeaus ~ nach dem Ortsende und vor der **B 309** rechts auf den Rad- und Fußweg Richtung Nesselwang ~ am Ende links in die Straße einbiegen ~ gleich wieder rechts auf die mässig stark befahrene **B 309** Richtung Pfronten ~ links in die **Marsstraße** ~ rechts in die **Sonnenstraße** ~ gleich wieder rechts in den **Sternenweg** ~ links in den Rad- und Fußweg abzweigen ~ ⚠ Achtung! dieser geht steil bergab, zirka 16% Gefälle auf 100 Meter ~ rechts bergab in die **Maria-Rainer-Straße** einbiegen.

Nesselwang

PLZ: 87484; Vorwahl: 08361

Tourist-Information, Lindenstr. 16, ✆ 923040

Brauereimuseum, im Hotel Post, ✆ 30910

Die Alpspitze als höchster Punkt von Nesselwang bietet eine herrliche Aussicht auf den prächtigen **Allgäu-Park**. Wiesen, Hügel, kleine Bäche und beinahe unberührte Landschaften lassen das Herz eines jeden höher schlagen.

Zirka 1429 wurde dem Ort von König Sigismund das Marktrecht verliehen. Aufgrund seiner günstigen und auch schönen Lage zieht Nesselwang viele Besucher an.

Nesselwang ist heute ein staatlich anerkannter Luftkurort im Landkreis Ostallgäu.

Von Nesselwang nach Füssen 23,5 km

Auf der **Maria-Rainer-Straße** über eine Brücke ~ vor Café Paulus nach links auf die **Von-Lingg-Straße** einbiegen ~ gleich darauf nach rechts in die **Lindenstraße** ~ hier den Feneberg Lebensmittelmarkt passieren ~ von der **Lindenstraße** beim Wirtshaus- Bistro Hoigarte nach links in die **Poststraße** einbiegen ~ **Poststraße** geht in die **Fichtenstraße** über ~ dem Straßenverlauf der **Fichtenstraße** folgen ~ von der Fichtenstraße links in die unbefestigte **Lärchenstraße** ~ über die Holzbrücke ~ weiter geradeaus auf dem geschotterten Radweg Richtung Attlesee ~ am Haus mit der Nummer 11 vorüber ~ weiter am **Rindeggerweg** ~ an der T-Kreuzung weist das Radschild links auf Asphalt.

10
N
Oberzollhaus
Reitermoos
Multen
Unterschwarzenberg
Seemoos
Schwarzenberger Weiher
Sennenbach
Hinter´m Buch
xenegg
Untergassen
Untermoos
Josereute
Wasenmühle
Bachtel
Kressen
Rottach
Loh-Mühle
Stich
Fischersäge
Rottachsee
Oy
Marie-Rainer-Straße
Haag
Gemeinde Oy-Mittelberg
Bichel
875
3,5
2
970
4
Feld
Am Bux
935
Wiesen
Mittelberg
Guggemoos
Maria-Rain
Schneidbach
Petersthal
Heilstätte
Rainen
Niederhöfen
Ruine Tobelweg
Burgkranzegg
.1150
Burgkranzegger Horn
Faistenoy
Suitermühle
Haslach
Wertachtalbrücke
Widdumhof
Untermühle
Thal
Römerbrücke
Gschwend
Wertachmühle
3,5
Sonnenstraße
Sternweg
Marsstraße
Marie-Rainer-Straße
Poststraße
Kirchenstraße
1,5
Hörich
Puchsbühl
Nesselwang
Mitbühl
Köllen
Binzen
Schrag
Hinterschneid
Schwanden
Eberlesbach
Grüntensee
Feriendorf Reichenbach
Reichenbach
Oberelleg
Unterelleg
Ferienheim
Rothenmoos
Vorderschneid
Schießstand
Gereute
Schleifmühle
Bayerstetten
Nesselburg
OA 10
A 7
B 309
B 310
OAL 1
9
11

Blick auf Schweinegg, Stockach

Über die Gleise ⇝ gleich danach rechts ⇝ an der T-Kreuzung links ⇝ am Holzbau Johann Möst vorüber Richtung Hertingen ⇝ gegen Ortsende von Nesselwang bergauf ⇝ an der Gabelung rechts Richtung Kögelhof bis zum nächsten Ort.

Hertingen

In Hertingen an der Gabelung nach links ⇝ an einer kleinen Kapelle vorüber ⇝ in Hertingen leicht bergab ⇝ an der Gabelung links Richtung Kögelhof ⇝ durch den Wald ⇝ an der Kreuzung geradeaus ⇝ linker Hand das Gewässer Kögelweiher ⇝ von der Straße rechts Richtung Eisenberg und Oberdolden abzweigen ⇝ auf Asphalt steil bergauf.

Oberdolden

Im Ort im Linksbogen leicht bergab Richtung Zell ⇝ dem Straßenverlauf bis nach Hummel folgen.

Hummel

An einigen Höfen vorbei ⇝ auf Asphalt direkt in den darauffolgenden Ort.

Schweinegg - Stockach

In Schweinegg steil bergab ⇝ an der T-Kreuzung links Richtung Zell ⇝ an der Kapelle links vorüber ⇝ bergauf in den Wald hinein ⇝ vor dem nächsten Ort steil bergab.

Zell

Dem Straßenverlauf durch den Ort folgen ⇝ unmittelbar vor der Kirche dem Radschild links in den **Burgweg** folgen ⇝ beim Verlassen von Zell leicht bergauf.

Tipp: Zur Linken erblicken Sie aus der Ferne die Ruine Eisenberg auf der Schlossberg Alm. Für einen Abstecher wenden Sie sich von der Radroute nach links Richtung Schlossberg.

Für die Hauptroute geradeaus auf der Landwirtschaftsstraße ⇝ stark bergab ⇝ an der Vorfahrtsstraße links auf den straßenbegleitenden

11
Maria-Rain
Attlesee
Attleseer Weiher
Unteres Moos
Oberes Moos
Dederles
Anwanden
Straß
Berkmühle
Huterbach
Roßfallen
Brandstatt
Jagdberg
Enzenstetten
Goimenen
Schneidbach
Niederhöfen
Lachen
Rennbothen
Unterreuten
Hammerschmiede
Widdumhof
Untermühle
Thal
Oberreuten
Bach
Gsöllen
Unterhalden
10
Rindegg
Schweinegg
Schwarzenbach
Tannenmühle
Heimen
Nesselwang
Maria-Rainer-Straße
1,5
Schicken
Kögelweiher
Hollen
Kögel
Oberdill
Lieben
920
3
Hertingen
Oberdolden
2
Hummel
Weizern
12
Schweinegg
Ruine Hohenfreyberg
Schloss Hopferau
Wank
Stockach
Schweinegger Weiher
Schlossberg-Alm
0,5
Nesselburg
Ruine Eisenberg
Speiden
Voglen
2
1
Osterreuten
Maria-Hilfer-Straße
Hopferau
1,5
Eisenberg
B 309
Unt-Alm
Maria-Trost
Rehbichel
Faule Ache
Doldenerbach
Rothbach
Burgweg
Zell
Unterdolden
Lehern
Rohrmoos
Kappel
Kapeller Alm
Kappelköpfl
Die Köllen
Holz
Unterreuten
Steinbach
Lachner-Hütte
1200
Hündelskopf
Schrofeneck
960.
Kohlbichel
910.
Hopferried
Kreuzegg
Oberdeusch
Oberreuten
Weißbach
Zerlach
Gschrift
Fichtel-Hütte
Wasenmoos
Unterdeusch
Hafenegg

Radweg ~ bei der ersten Möglichkeit vom Radweg rechts auf den unbefestigten Weg Richtung Eisenberg ~ leicht bergab.

Eisenberg

PLZ: 87637; Vorwahl: 08364

Touristik-Information, Pröbstener Str. 9, ✆ 1237

Burgenmuseum Eisenberg, situiert in der Ruine Eisenberg, Öz: Sa, So, Fei 13-16 Uhr, Eintritt frei. Die Geschichte der Burg Eisenberg wird durch Bilder und Schautafeln näher gebracht. Zahlreiche Funde aus der damaligen Zeit werden im Museum zur Schau gestellt, wie zum Beispiel Reste gotischer Kachelöfen und Knochenfunde.

Ruine Eisenberg, Peter von Hohenegg erbaute die Burg um 1315 als Wohnsitz und Verwaltungszentrum der Herrschaft Eisenberg. 1382 verkaufte Bertold von Hohenegg sowohl die Burg als auch die Herrschaft an Herzog Leopold III. von Österreich. Dieser gab die Burg 1390 als Lehen an den Schwiegersohn Bertolds von Hohenegg ab. Durch den Bauernkrieg von 1525 wurde die Burg beschädigt, 1535 begann man mit der Renovierung. 1646 brannten die Tiroler Landesfürsten die Burg nieder, die Ruine steht bis heute. Charakteristisch für die Burg ist die hohe Mantel- bzw. Ringmauer. In früheren Zeiten war die Herrschaft Eisenberg die größte Adelsherrschaft im Füssener Land.

Füssen – Hopfen am See

Ruine Hohenfreyberg, die Burg wurde damals an wohlhabende Patrizier und Bürger verpfändet. 1714 wurde vom Freiherrn v. Freyberg-Eisenberg das Pfandrecht gekauft. Zirka 1791 wurde dieses Pfandrecht von Österreich abgelöst und zu Beginn des 18. Jhs. kam es im Frieden von Preßburg und Hohenfreyberg zu Bayern.

Am Hof vorüber ~ unter einer Hofbrücke hindurch ~ an der Gabelung rechts ~ im Linksbogen auf Asphalt Richtung Speiden.

Speiden

In Speiden am Gasthof und einer Holzschnitzerei vorüber ~ an der Gabelung links in die **Maria-Hilfer-Straße** ~ unter einer Brücke mit einer Höhenbeschränkung von 3,6 Metern hindurch ~ an der nächsten Gabelung rechts ~ direkt an der Kirche links vorüber ~ danach in Kurven weiter.

Nach Speiden leicht bergab ~ an der Vorfahrtsstraße rechts auf den Gehweg ~ unter der Brücke hindurch auf die andere Straßenseite ~ weiter auf dem linksseitigen Radweg ~ dieser endet nach 500 Metern am Ortsbeginn von Hopferau.

Hopferau

PLZ: 87659; Vorwahl: 08364

Gästeinformation, Hauptstr. 8, ✆ 8548

Schloss Hopferau. Schloss Hopferau ist das älteste Schloss im

Ostallgäu. Ritter Siegmund-Friedrich von Freyberg-Eisenberg ließ das Schloss 1468 als Jagdschloss erbauen. Es hatte schnell den Ruf als Haus der Gastlichkeit erlangt, in der Mitte des 16. Jhs. schaffte es das Schloss gesellschaftlicher Mittelpunkt des Allgäus zu werden. 1803 geht das Schloss in Privatbesitz über. In der Folgezeit wechselt das Schloss oft seinen Besitzer. 1999 übernimmt die Kultur-Stiftung Füssen e. V. das Gebäude, ihr Ziel ist es das Schloss langfristig zu erhalten. Zwei Jahre dauert die Renovierung des Schlosses, bis es schließlich im Jahre 2001 wieder für die Öffentlichkeit zugänglich ist.

Vor 1800 war Hopferau Gericht, der Ort gehörte den Freiherrn Freyberg-Hopferau. Seit der Rheinbundakte im Jahre 1806 gehört es zu Bayern. In der Rheinbundakte wurde das Bündnis der süddeutschen Staaten mit Napoleon festgehalten. Adelige Fürstentümer und ritterschaftliche Besitzungen waren bis zu diesem Zeitpunkt reichsunmittelbar, wurden jetzt allerdings den Landesfürsten untergeordnet.

Durch Hopferau auf der Straße ~ auf Höhe der Kirche links in die **Schlossstraße** ~ linker Hand das Schloss ~ dem Radschild nach rechts in die **Alpenblickstraße** folgen ~ durch eine Wohnsiedlung ~ zur Linken zwei Ferienwohnungen ~ an der T-Kreuzung links nach Schraden.

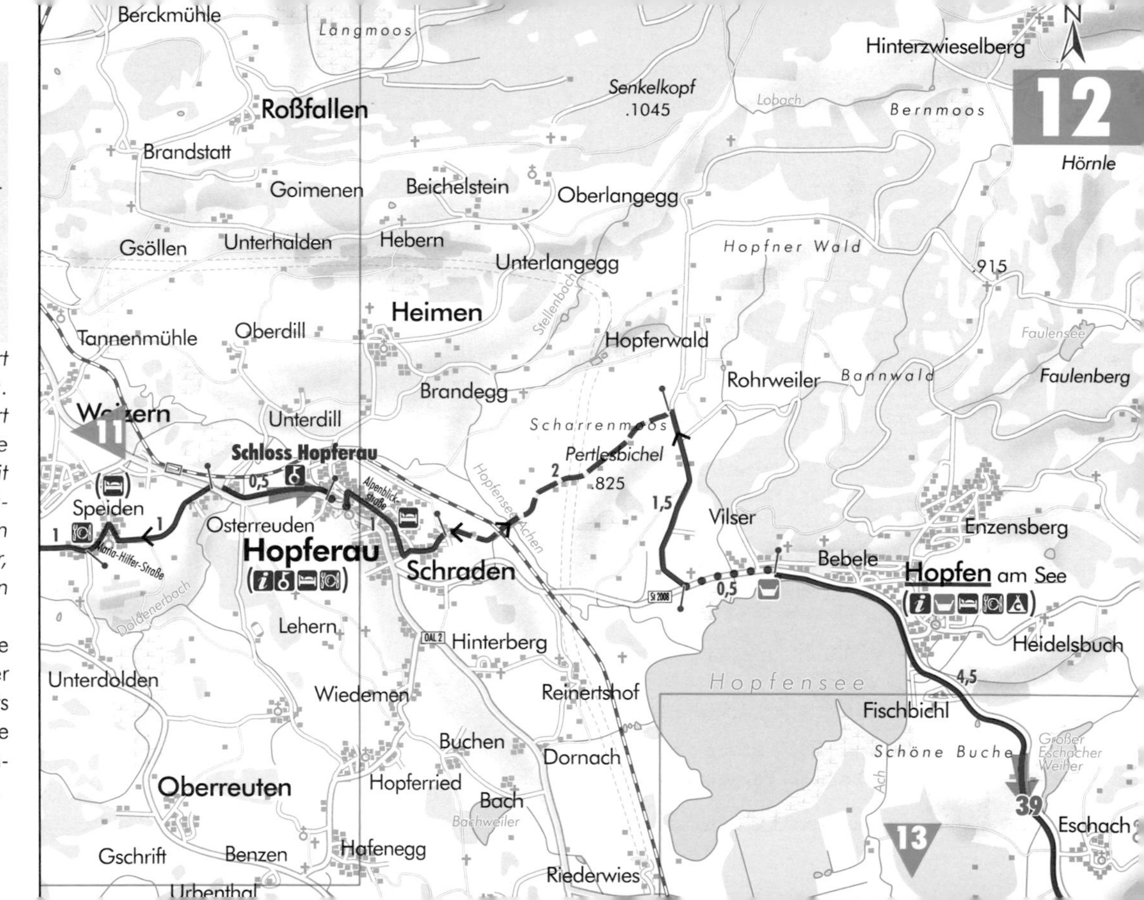

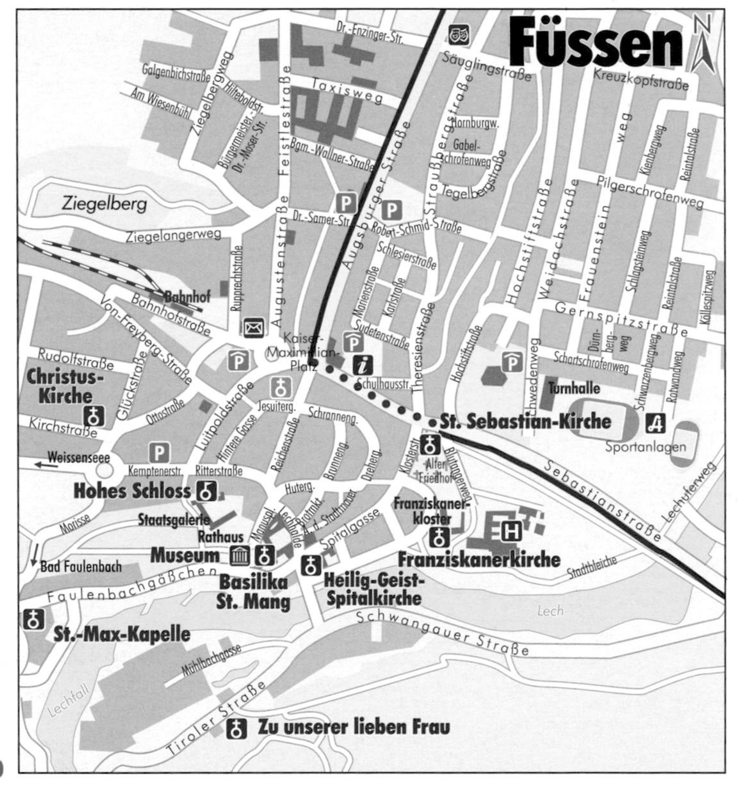

Schraden

In Schraden leicht bergab ~ an der Gabelung links ~ über die Bahngleise und eine kleine Brücke ~ danach leicht bergauf ~ weiter geradeaus in den unbefestigten Weg ~ an einigen alten Holzhütten vorüber.

Wellig dahin ~ an der T-Kreuzung rechts auf die Asphaltstraße ~ leicht bergab ~ an einigen Höfen vorüber ~ an der darauffolgenden Vorfahrtsstraße links auf die mäßig stark befahrene Straße ~ zur Rechten ein schöner Ausblick auf den Hopfensee.

Hopfen am See

PLZ: 87629; Vorwahl: 08362

- **Tourist Information**, Uferstr. 21, ✆ 7458
- **Freibad am Hopfensee**, Uferstr. 37, ✆ 6540. Der See lädt mit einer Temperatur von zirka 20-25 °Celsius förmlich zum Baden ein. Der flache Hopfensee gehört zum wärmsten Vorgebirgssee Bayerns.

Nach 500 Metern auf den rechtsseitigen Radweg ~ entlang des Hopfensees ~ auf dem Radweg Richtung Füssen ~ über eine Brücke in die Stadt Füssen ~ am Kreisverkehr rechts.

Tipp: Am Kreisverkehr zweigt nach links der Radweg der Via Claudia Augusta ab. Wenn Sie sich für diesen Radweg interessieren, steht Ihnen das ***bikeline*-Radtourenbuch Via Claudia Augusta** zur Verfügung.

An der Feldkirche vorüber ~ geradeaus vor bis zur großen Kreuzung beim **Kaiser-Maximilian-Platz**.

Füssen

PLZ: 87629; Vorwahl: 08362

- **Tourist-Information**, Kaiser-Maximilian-Platz 1, ✆ 93850
- **Schifffahrt mit Rad**, Städtische Forggensee-Schiffahrt Füssen, ✆ 921363 od. 903131, Abfahrt dreimal täglich ab Bootshafen der Stadt Füssen, Haltestellen am Musical Theater Neuschwanstein und in Waltenhofen, Brunnen, Roßhaupten, Dietringen und Osterreinen. Fahrten und Bootsverleih von Mitte Juni bis Okt.
- **Museum der Stadt Füssen**, im ehemaligen

Füssen – Lechbrücke und ehem. Kloster St. Mang

Benediktinerstift St. Mang, Lechhalde 3, ✆ 903143 od. 903146, ÖZ: April-Okt., Di-So 10-17 Uhr; Nov.-März, Di-So 13-16 Uhr. Das Museum zeichnet mit Ausgrabungsfunden und Kunstschätzen die Geschichte des Klosters sowie die Stadtgeschichte nach und umfasst die prachtvoll dekorierten barocken Repräsentationsräume des Klosters. Zu sehen sind außerdem eine der europaweit schönsten Sammlungen historischer Lauten und Geigen, der freigelegte romanische Kreuzgang, eine Ausstellung zu Ludwig II. und seinen Schlössern sowie der Füssener Totentanz als ältester bayerischer Totentanzzyklus.

Filialgalerie der Bayerischen Staatsgemäldesammlungen im Hohen Schloss, Magnuspl. 10, ✆ 903146, ÖZ: April-Okt., Di-So 11-16 Uhr, Nov.-März, Di-So 14-16 Uhr. Thema: Skulpturen und Tafelbilder aus Spätgotik und Renaissance, Münchner Maler des 19. Jhs.

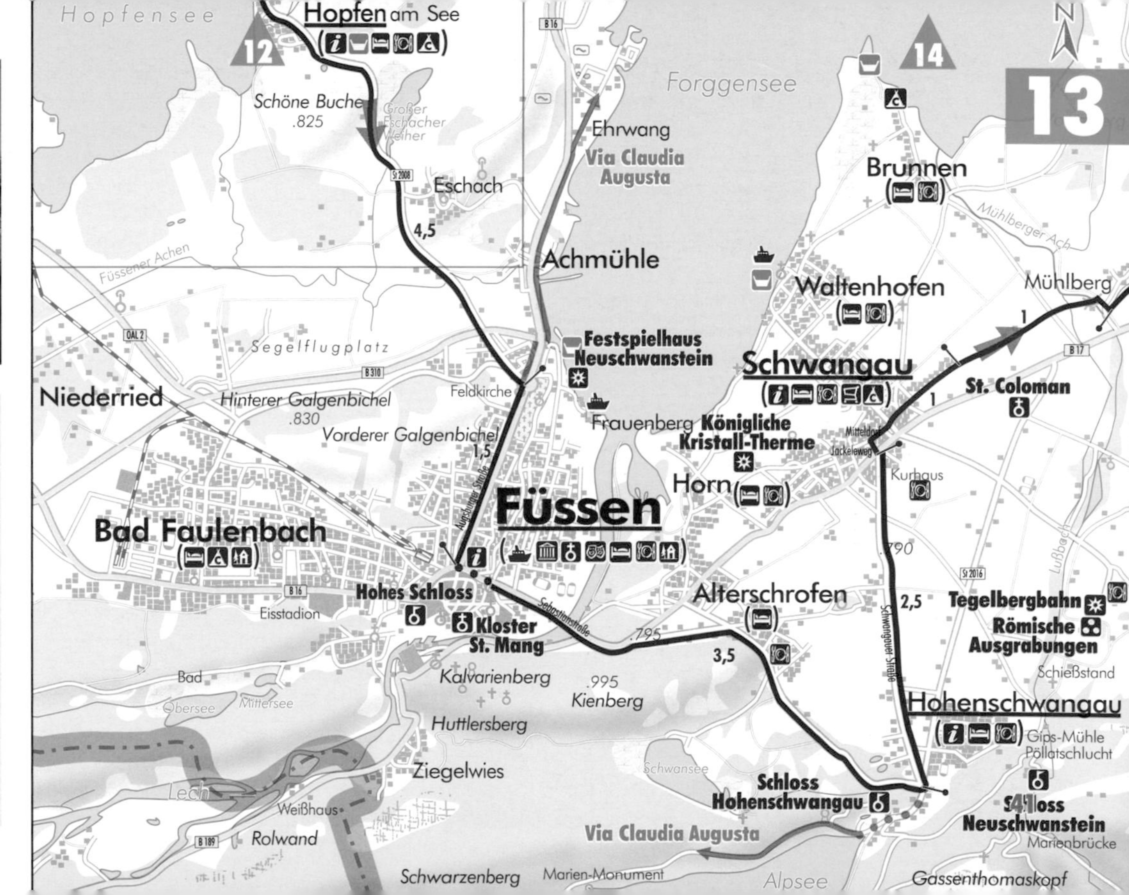

- **Basilika St. Mang** (ehem. Klosterkirche), ÖZ: ganztägig. Führungen: Jan.-Okt., jeden Sa 10.30 Uhr. Das Benediktiner-Kloster wurde 850 gegründet, im 18. Jh. auf romanischen Fundamenten erbaute Barock-Basilika.
- **Heilig-Geist-Spitalkirche** wurde 1748/49 errichtet. Sehenswerte Rokokofassade mit farbenprächtiger Freskierung.
- **Alter Friedhof** (1528) und **Kirche St. Sebastian**, Klosterstraße.
- **Franziskanerkloster** (1629) und **Kirche St. Stephan.**
- **Hohes Schloss**, ÖZ für Innenbesichtigung: siehe Filialgalerie. Ehemalige Sommerresidenz der Fürstbischöfe von Augsburg, spätgotische Illusionsmalereien an den Innenhoffassaden, gotische Decke im Rittersaal.

Uhrturm des Hohen Schlosses, Altstadt und Forgensee

- **Königsschlösser Neuschwanstein** und **Hohenschwangau** (siehe Seite 44 unter Hohenschwangau)
- **Festspielhaus Neuschwanstein**, Information über den Spielplan: ✆ 50770.
- **regionale Radwander- und Mountainbike-Touren**, Infos und Karten bei der Tourist Information.
- **Historische Altstadt.** Stadtführungen: jeden Sa 9.30 Uhr, vierzehntägig Mo 20 Uhr. Als eine der ersten deutschen Städte bietet Füssen eine Audio Guide Stadtführung an: für individuelle Stadtrundgänge können in der Tourist Information Füssen halb- oder ganztägig CD´s mit Abspielgerät ausgeliehen werden.
- **Lautenmacher-Brunnen**, Brotmarkt. Ein Porträt von Kaspar Tieffenbrucker diente als Vorlage für diesen 1990 erbauten Brunnen.
- **Freibäder** am Mittersee, ✆ 7777; Obersee, ✆ 39281
- Der **Alpsee** unterhalb der Königsschlösser bietet sich hervorragend zum baden an.
- **Hallenbad Füssen**, Feistlestr. 5, ✆ 7124, Do-So Warmbadetag.

Königswinkel heißt der schöne Flecken Erde, in dem die 700-jährige Stadt Füssen liegt. Hoch über dieser in ihrer Vielfalt einzigartigen Kulturlandschaft erhebt sich das märchenhafte Schloss Neuschwanstein, eines von vielen Schlössern, die der bayerische König Ludwig II. erbauen ließ.

Die Altstadt von Füssen zeugt von einer langen bewegten Geschichte, die schon im 4. Jahrhundert begann, als die Römer hier an der Via Claudia Augusta ein Kastell errichteten. Um 750 errichtete der heilige Magnus an diesem Ort eine Mönchszelle, die sich im darauffolgenden Jahrhundert zum Kloster entwickelte. Der ursprünglich romanische Bau wurde von Johann Jakob Herkomer zu Beginn des 18. Jahrhunderts barock umgestaltet.

Als Umschlagplatz an der Fernhandelsstraße nach Italien entfaltete sich die um 1295 mit dem Stadtrecht ausgestattete Siedlung zu einem florierenden Handels- und Handwerkszentrum, erlangte aber niemals die Reichsfreiheit. Wie so vielen Städten an der Romantischen Straße wiederfuhr es auch Füssen zu Beginn des 19. Jahrhunderts, an das Bayerische Königreich angegliedert zu werden. Füssen besitzt eine wunderschöne historische Altstadt, in deren verwinkelten Gassen sich Gebäude aus unterschiedlichen Epochen zu einem harmonischen Ensemble zusammenfügen. Bei einem Stadtrundgang sehen Sie gotische Giebelhäuser, Reste der einstigen Stadtmauer und die Barock- und Rokoko-Kirchen mit ihren farbenprächtigen Fresken.

Von Füssen nach Gmund am Tegernsee 123 km

Lassen Sie sich auf diesem Teilstück verzaubern von den beiden Königsschlössern in Schwangau, Schloss Hohenschwangau und Neuschwanstein. Entdecken Sie Naturschutzgebiete wie das Altenauer Moor und das Murnauer Moos. Statten Sie dem größten Pferdegestüt Bayerns in Schwaiganger einen Besuch ab und genießen Sie die schöne Landschaft. Danach radeln Sie eben am Fuß der Berge durch bekannte Städte wie Kochel am See und die Kurstadt Bad Tölz bis hin zum idyllisch gelegenen Tegernsee bei Gmund.

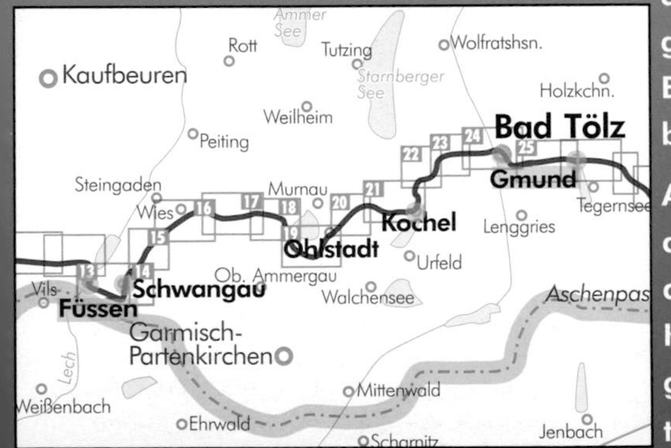

Auch auf dieser Etappe radeln Sie hauptsächlich im leichten Auf und Ab auf ruhigen Landstraßen dahin, die nur in Stadtnähe verkehrsreicher werden. Unbefestigte Wegstrecken gibt es nach Trauchgau, Bad Kohlgrub, Kochel am See und Bad Tölz, welche gut befahrbar sind. Auch straßenbegleitende Radwege sind vor Großweil, Kochel am See und Bad Tölz anzutreffen.

Stadt Füssen mit Lech und Allgäuer Alpen

Füssen

Von Füssen nach Trauchgau 17,5 km

Am **Kaiser-Maximilian-Platz** (Kreuzung) links in Richtung München/Königsschlösser abbiegen und an der Touristinformation vorüber ~ im Stadtgebiet kurzzeitig auf mäßig stark befahrener Straße ~ nach zirka 300 Metern auf den rechtsseitigen Radweg wechseln ~ weiter nach Hohenschwangau.

Tipp: Vor Hohenschwangau besteht die Möglichkeit an den Radweg der Via Claudia Augusta anzuschließen. Genauere Informationen zur Strecke erhalten Sie im *bikeline*-Radtourenbuch Via Claudia Augusta.

Hohenschwangau

PLZ: 87645; Vorwahl: 08362

- **Gemeinde- und Tourist Information Schwangau**, Münchener Str. 2, ✆ 81980
- **Schloss Hohenschwangau**, Alpseestr. 24, ✆ 9398819, ÖZ: April-Sept., 9-18 Uhr, Okt.-März, 10-16 Uh; Am 24. Dez. geschlossen. Eintrittskarten sind im Schloss selbst nicht erhältlich, nur im Ticket Center, Alpsseestr. 12 (neben Hotel Müller) unterhalb der beiden Schlösser in Hohenschwangau. Vorbuchungen von Führungen zu fixen Uhrzeiten sind für Radlergruppen über das Ticket Center ebenfalls möglich ✆ 930830. Das Schloss Hohenschwangau wurde vom Kronprinz Maximilian von Bayern in den Jahren 1832-36 aus der verfallenen Burg Schwanstein im neugotischen Stil wieder aufgebaut.
- **Schloss Neuschwanstein**, Neuschwansteinstr. 20, ✆ 939880, ÖZ: April-Okt., 9-18 Uhr, Nov.-März, 10-16 Uhr; Am 1. Jan., Faschingsdienstag, 24., 25. und 31. Dez. geschlossen. Eintrittskarten sind im Schloss nicht erhältlich (siehe Schloss Hohenschwangau). In den Jahren 1869-86 von König Ludwig II. von Bayern in mittelalterlichem Stil erbaut.

Nach dem Besuch der Märchenschlösser auf dem Radweg der **Schwangauer Straße** bis nach Schwangau.

Schloss Hohenschwangau

König Ludwigs Märchenschlösser

Beide Schlösser, Hohenschwangau und Neuschwanstein, die das Ostallgäuer Seenland überragen, hatten große Bedeutung für den wahrscheinlich meistgeliebten König Bayerns, Ludwig II. Einen Großteil seiner Jugendjahre verbrachte er auf Schloss Hohenschwangau, das ursprünglich auf eine mittelalterliche Burg zurückgeht und von Kronprinz Maximilian 1832 in neugotischem Stil wieder aufgebaut worden ist.

Hier sammelte der Träumer zweifelsohne einige Ideen, die er in seinem prächtigsten Vorhaben, dem Schloss Neuschwanstein, zu verwirklichen suchte. Ludwig war ein Mensch,

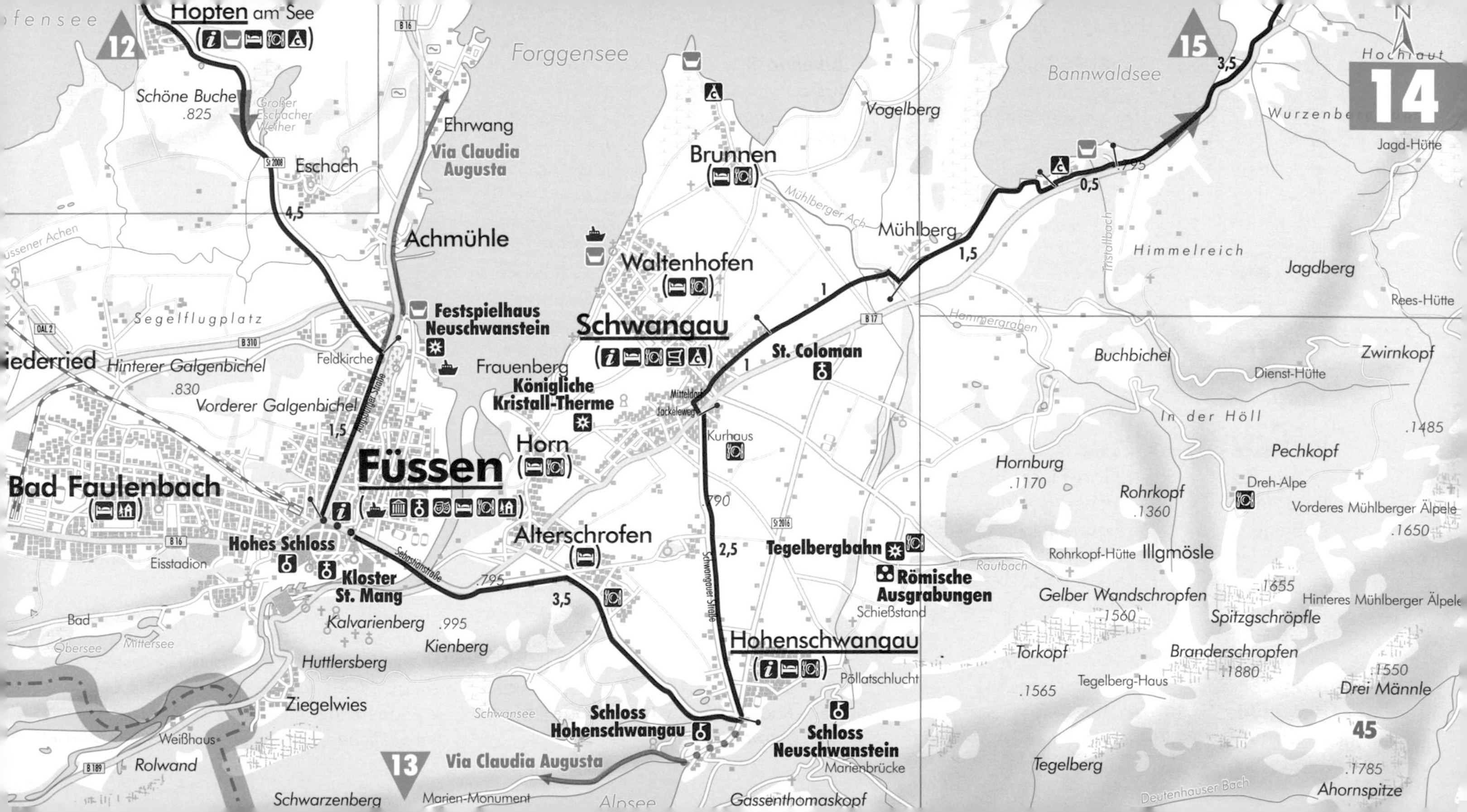
Hopten am See
12
Forggensee
15
14
Bannwaldsee
Schöne Buche
.825
Großer Eschacher Weiher
Ehrwang
Via Claudia Augusta
Eschach
Brunnen
Vogelberg
Wurzenberg
Jagd-Hütte
4,5
3,5
0,5
.795
Achmühle
Mühlberger Ach
Mühlberg
Waltenhofen
1,5
Himmelreich
Jagdberg
Füssener Achen
Tristallbach
Segelflugplatz
Festspielhaus Neuschwanstein
Schwangau
1
Rees-Hütte
B 310
B 16
B 17
St 2008
St 2016
OAL 2
Niederried
Hinterer Galgenbichel
.830
Vorderer Galgenbichel
Feldkirche
Augsburger Straße
Frauenberg
Königliche Kristall-Therme
St. Coloman
Hammergraben
Buchbichel
Zwirnkopf
Dienst-Hütte
Mitteldorf
Jackeleweg
In der Höll
.1485
1,5
Füssen
Horn
Kurhaus
Hornburg
.1170
Pechkopf
Bad Faulenbach
790
Rohrkopf
.1360
Dreh-Alpe
Vorderes Mühlberger Älpele
.1650
Hohes Schloss
Eisstadion
Alterschrofen
Tegelbergbahn
Rohrkopf-Hütte
Illgmösle
Sebastianstraße
Kloster St. Mang
.795
3,5
2,5
Schwangauer Straße
Rautbach
Römische Ausgrabungen
.1655
Gelber Wandschropfen
.1560
Hinteres Mühlberger Älpele
Schießstand
Spitzgschröpfle
Bad
Kalvarienberg
.995
Obersee
Mittersee
Kienberg
Hohenschwangau
Torkopf
Branderschropfen
.1880
Huttlersberg
Pöllatschlucht
.1550
.1565
Tegelberg-Haus
Drei Männle
Ziegelwies
Schwansee
Schloss Hohenschwangau
Schloss Neuschwanstein
45
Weißhaus
B 189
Rolwand
13
Via Claudia Augusta
Marienbrücke
Tegelberg
.1785
Schwarzenberg
Marien-Monument
Alpsee
Gassenthomaskopf
Deutenhauser Bach
Ahornspitze

der zum Regieren nicht geschaffen war und doch mit 18 Jahren, im Jahre 1864, den Thron besteigen musste. Die Beschreibung, die Richard Wagner nach seiner ersten Begegnung mit dem jungen König niederschrieb, mag zutreffend gewesen sein: „Er ist leider so schön und geistvoll, seelenvoll und herzlich, dass ich fürchte, sein Leben müsse wie ein Göttertraum zerrinnen."

Gemäß seines Charakters ließ er seine Regierungsgeschäfte auch recht bald brachliegen und zog sich, obwohl das Volk ihn liebte, in die Einsamkeit der bayerischen Wälder und

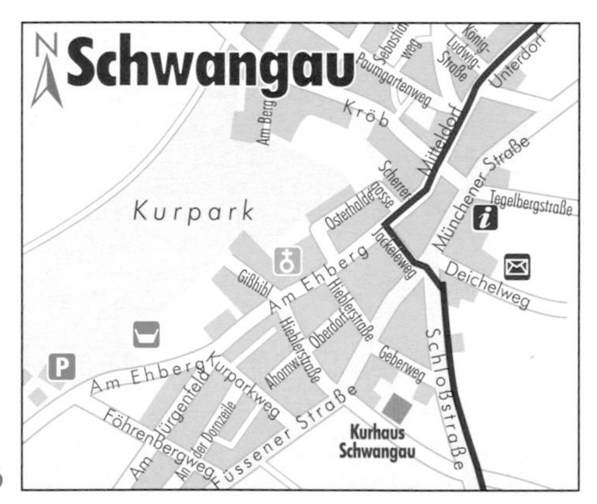

Berge zurück. Gleichzeitig floh er auch in eine Welt der Träume und des ästhetischen Seins, um der Wirklichkeit und den Menschen zu entkommen.

Gutes Beispiel für solch eine Weltfremdheit ist das Schloss Herrenchiemsee, und zwar der Gedanke, der dahinter steckte. König Ludwig lebte in dem Glauben, ein ebenbürtiger Nachfolger Ludwig XVI. zu sein, und wollte mit Herrenchiemsee ein zweites Versailles schaffen. In seiner Bauwut ließ er opernhafte Schlösser errichten, die ausschließlich für ihn allein bestimmt waren und eher funktionslose Theaterkulissen zu sein schienen.

In Neuschwanstein hatte er schon begonnen, diesen Wahn bis zur Perfektion zu treiben. Der Sängersaal, der den Mittelpunkt des ganzen Schlosses bildet und in dem er Szenen aus dem Tannhäuser von Wagner abbilden ließ, sowie andere Räume, die eher wie orientalische Paläste anmuten, sind Beweis dafür. Diese überaus teuren, steingewordenen Träume fielen dem Bayerischen Staat anfangs nicht einmal zu Lasten, da die Kosten aus einem Fonds zu des Königs persönlicher Verwendung gedeckt wurden. Sogar Bismarck – wohl sicher nicht aus Uneigennützigkeit – unterstützte

Schloss Neuschwanstein

Ludwig II. mit Millionenbeträgen. Erst als der König die Staatsfinanzen anzapfte, ließen ihn die Minister plötzlich für verrückt erklären und schafften den Märchenkönig nach Berg an den Starnberger See, wo er auf ungeklärte Weise ums Leben kam.

Schwangau

PLZ: 87645; Vorwahl: 08362

Gemeinde- und Tourist Information Schwangau, Münchener Str. 2, ✆ 81980

In Schwangau endet der Radweg nach links über die B 17 und dann rechts in den

Jackeleweg ~ beim Springbrunnen rechts in die Straße **Mitteldorf**.

Tipp: Rechts von Ihnen erhebt sich vor dem Hintergrund der Alpen die barocke Kirche St. Coloman, von den Felswänden dahinter heben sich markant die Märchenschlösser – Hohenschwangau und Neuschwanstein – ab.

Hinter Schwangau weiter geradeaus auf einem Radweg ~ geradeaus über die Brücke der Mühlbacher Ach ~ gleich darauf rechts über eine weitere Brücke ~ weiter links auf dem Radweg ~ über einen Graben ~ am Campingplatz Bannwaldsee rechts vorüber.

Am Ufer des Bannwaldsees entlang ~ auf dem Radweg zwischen dem Schilfgürtel des Sees und der B 17 ~ an der Kreuzung endet der Radweg ~ weiter geradeaus auf dem Landwirtschaftsweg ~ an der nächsten Kreuzung geradeaus in den **Bannwaldseeweg** ~ über die Brücke in den Ort Halblech.

Halblech, Ortsteil Buching

PLZ: 87642; Vorwahl: 08368

Gästeinformation, Buching, Bergstr. 2a, ✆ 285

Nach der Brücke links in die Straße **In der Siedlung** ~ durch die Wohnsiedlung von Halblech ~ rechts in die **Walter-Böttcher-Straße** ~ an der Vorfahrtsstraße rechts ~ bei der nächsten Vorfahrtsstraße links auf den linksseitigen Radweg Richtung Steingaden ~ am Ortsbeginn von Trauchgau endet der Radweg.

Halblech, Ortsteil Trauchgau

PLZ: 87642; Vorwahl: 08368

Gästeinformation, Trauchgau, Dorfstr. 18, ✆ 9122222

Von Trauchgau nach Bad Kohlgrub 22,5 km

Ein Stück auf der mäßig stark befahrenen **Allgäuer Straße** ~ im Ort weist das Radschild rechts in die **Reichenstraße**.

Geradeaus Richtung Kirche ~ hier an der Vorfahrtsstraße rechts ~ in die **Austraße** ~ im Ort geht

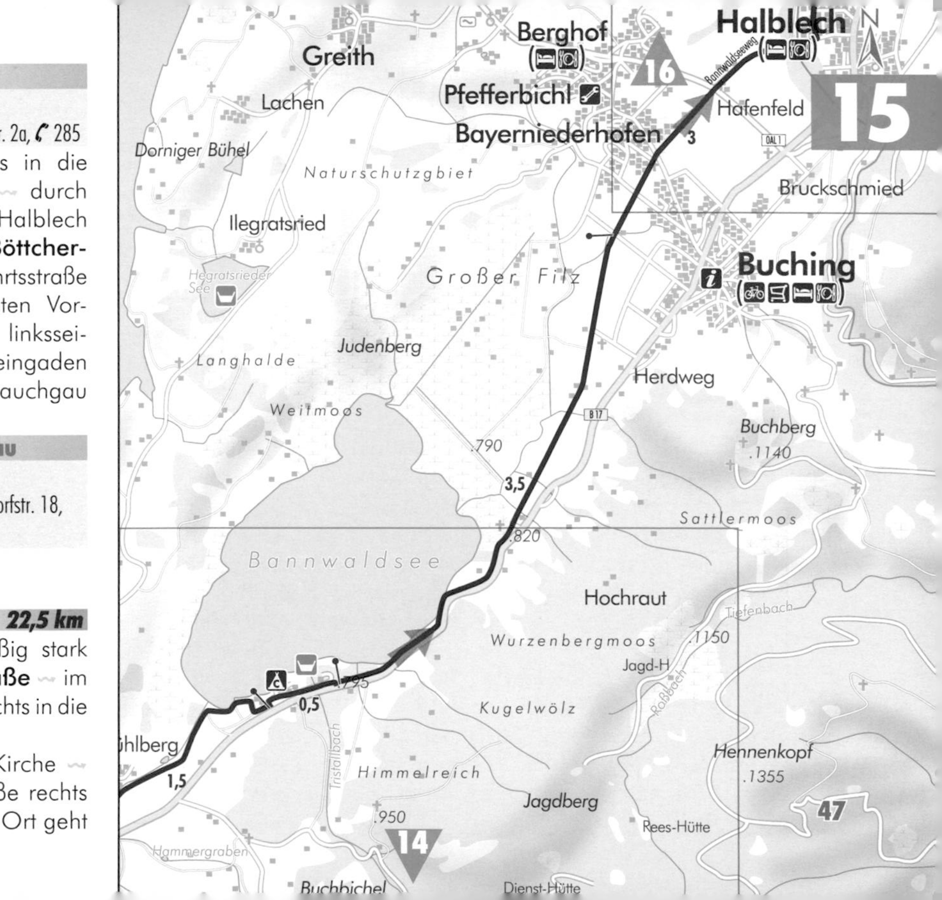

Flussbett im Wald – Königstraße

es ziemlich kurvenreich dahin ~ am Ortsende von Trauchgau links Richtung Gasthof Almstube, über eine kleine Brücke.

An der nächsten Kreuzung geradeaus in den unbefestigten Landwirtschaftsweg ~ durch den Wald ~ vor der starken Linkskurve leicht bergab ~ über eine kleine Brücke.

An der Gabelung dem Radschild nach links folgen ~ über eine weitere Brücke ~ an einigen Viehweiden und Hütten vorüber ~ bei der ersten Holzhütte geradeaus wieder auf Asphalt ~ im starken Rechtsbogen bergauf.

Oberreithen

An der T-Kreuzung bei Oberreithen rechts ~ leicht bergauf bis nach Schober.

Schober

Am Ortsbeginn leicht bergab und am Ortsende wieder bergauf ~ geradeaus auf dem befestigten Landwirtschaftsweg ~ in Kurven wellig durch das Waldgebiet ~ an der Kreuzung rechts auf den geschotterten Weg in die Sackgasse, autofrei.

Tipp: An dieser Kreuzung zweigt nach links der Radweg Romantische Straße ab. Hierfür finden Sie eine genaue Routenbeschreibung im ***bikeline*-Radtourenbuch Romantische Straße.**

Auf der **Königstraße** leicht bergab durch den Wald ~ der Wald lockert auf ~ über eine Brücke ~ an der Kreuzung geradeaus ⚠ über das große Flussbett (keine Brücke vorhanden).

Tipp: Am besten schieben oder tragen Sie hier Ihr Fahrrad über das Flussbett.

Geradeaus in den gegenüberliegenden geschotterten Weg ~ durch den Wald ~ an den nächsten zwei Abzweigen dem Hauptweg nach links folgen ~ über ein kleines Flussbett ~ danach leicht bergab ~ durch eine Waldlichtung

~ an der Gabelung rechts ~ links von Ihnen drei kleine Holzhütten ~ an der Kreuzung geradeaus in den unbefestigten Weg ~ auf dem Hauptweg durch den Wald ~ über eine Brücke ~ an der Gabelung dem Verlauf des Weges nach links folgen ~ den Wald in einem Linksbogen verlassen ~ an der T-Kreuzung rechts auf Asphalt ~ in einem Linksbogen über die Brücke ~ ein Radschild ist hier vorhanden ~ links von Ihnen ein Gewässer.

Unternogg

Durch die kleine Siedlung ~ rechts ein Gasthof ~ dem asphaltierten Straßenverlauf folgen ~ ein kleines Stück durch den Wald ~ zur Linken Strommasten ~ auf der **Unter-**

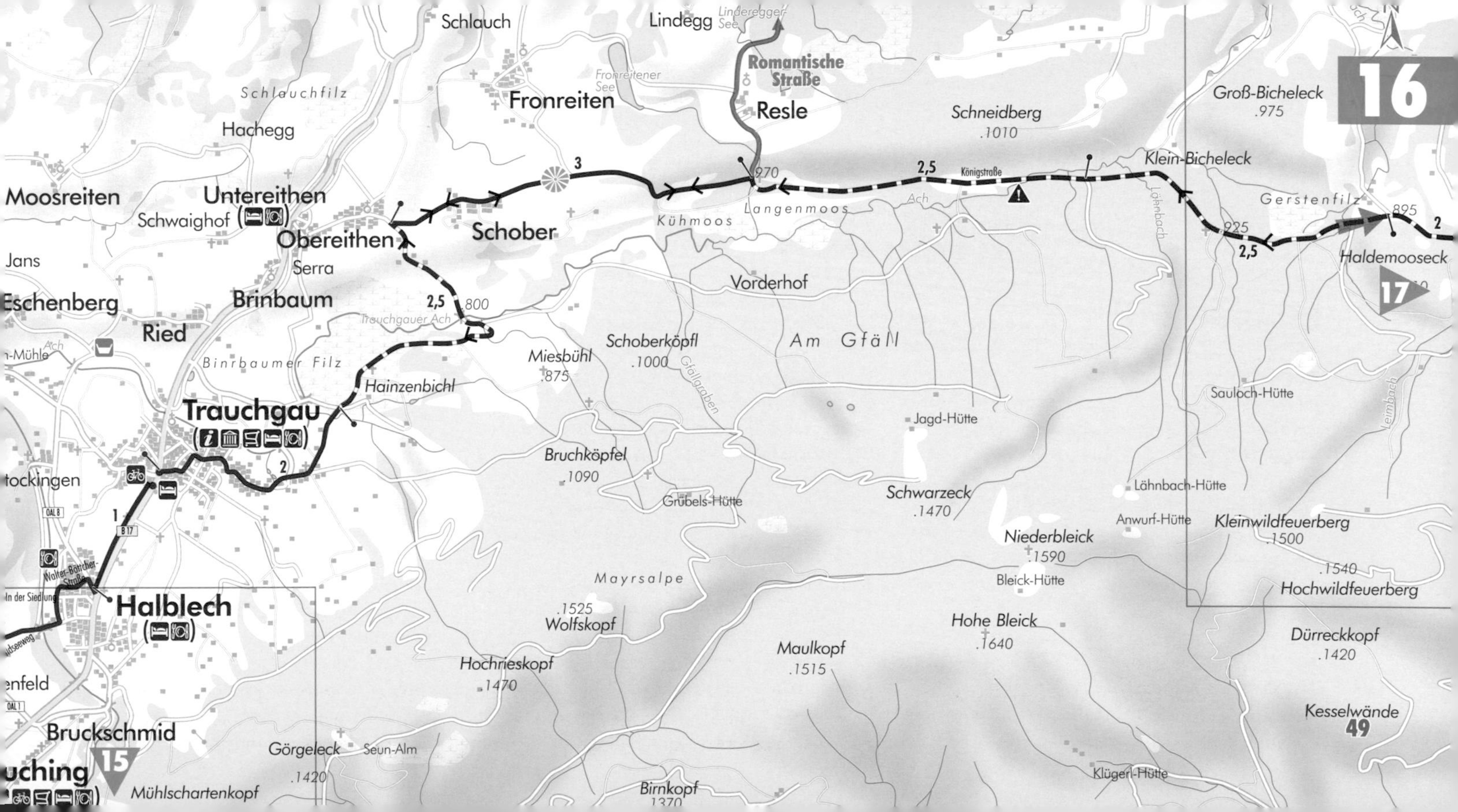

16
Schlauch
Lindegg
Linderegger See
Romantische Straße
Schlauchfilz
Fronreitener See
Fronreiten
Resle
Hachegg
Groß-Bicheleck
.975
Schneidberg
.1010
Klein-Bicheleck
Königstraße
970
3
2,5
Moosreiten
Untereithen
Schwaighof
Obereithen
Schober
Kühmoos
Langenmoos
Ach
Gerstenfilz
925
895
2
Haldemooseck
Jans
Serra
Vorderhof
Lähnbach
Eschenberg
Brinbaum
800
Trauchgauer Ach
17
Ried
Schoberköpfl
.1000
Am Gfäll
Binrbaumer Filz
Miesbühl
.875
Gfällgraben
Hainzenbichl
Sauloch-Hütte
Leimbach
Trauchgau
Jagd-Hütte
Bruchköpfel
.1090
tockingen
Grübels-Hütte
Schwarzeck
.1470
Lähnbach-Hütte
Anwurf-Hütte
Kleinwildfeuerberg
.1500
1
OAL 8
B 17
Niederbleick
.1590
.1540
Walter-Böttcher-Straße
Mayrsalpe
Bleick-Hütte
Hochwildfeuerberg
In der Siedlung
Halblech
.1525
Wolfskopf
Hohe Bleick
.1640
Dürreckkopf
.1420
Maulkopf
.1515
Hochrieskopf
.1470
enfeld
OAL 1
Kesselwände
49
Bruckschmid
Görgeleck
Seun-Alm
.1420
uching
15
Mühlschartenkopf
Klügerl-Hütte
Birnkopf

noggstraße bergab zur Mayersäge ~ über eine große Brücke ~ an drei alten Holzhütten vorüber ~ weiter geradeaus auf der **Unternoggstraße** bis nach Altenau.

Altenau

An der Gabelung weist das Radschild links ~ leicht bergauf ~ auf der **Saulgruber Straße,** zur Rechten die Feuerwehr ~ über die Bahngleise ~ weiter rechts der Gleise ~ am Ortsende bergauf.

Saulgrub

PLZ: 82442; Vorwahl: 08845

Verkehrsverein, Dorfstr. 1, ✆ 520,

Auf der **Altenauer Straße** in den Ort hinein ~ durch die Wohnsiedlung ~ an der Gabelung rechts ~ an der Vorfahrtsstraße links auf den rechtsseitigen Radweg der **Ammergauer Straße** ~ bei den nächsten Gleisen vom Radweg auf die mäßig stark befahrene B 23 wechseln.

Bei der Ampelkreuzung rechts Richtung Bad Kohlgrub ~ zur Rechten ein straßenbegleitender Fahrradweg ~ über die Gleise bis nach Bad Kohlgrub ~ der Radweg endet am Ortsbeginn von Bad Kohlgrub ~ auf die mäßig stark befahrene Straße wechseln ~ in den Ort hinein bergab ~ zur Rechten die Kirche ~ dem Straßenverlauf durch Bad Kohlgrub folgen ~ am Dorfbrunnen vorüber ~ nach dem Gebäude der Raiffeisenbank rechts in die **Mühlstraße.**

Bad Kohlgrub

PLZ: 82433; Vorwahl: 08845

Kur- und Tourist-Information, Haus der Kurgäste, Hauptstr. 27, ✆ 74220

St. Rochuskapelle, nach der verheerenden Pestseuche 1633/1634 wurde die Votivkirche zu Ehren des Pestheiligen St. Rochus gebaut und geweiht.

Ammertalbahn, Infos beim Bahnhof Bad Kohlgrub. Mit der Ammertalbahn können Sie von Bad Kohlgrub nach Murnau und Oberammergau fahren. Sie gilt als eine der schönsten Bahnstrecken Deutschlands. Kostenloser Fahrradtransport.

Kutschenfahrten (n. Vereinb.): A. Lautenbacher, Steigrain 122, ✆ 1606

NSG Ammertal. Das Naturschutzgebiet ist das größte zusammenhängende Gebiet dieser Art in Bayern.

Hallenbäder finden Sie in den Hotels.

Kur- und Tourist-Information, ✆ 74220;

Ruhige Dörfer, saftige Wiesen und urige Moore – der Bodensee-Königssee-Radweg führt Sie durch eine wunderschöne, abwechslungsreiche Landschaft mit Blick auf das imposante Bergpanorama des Werdenfelser Landes.

Das Moorheilbad Bad Kohlgrub ist ein idyllischer Flecken in Oberbayern, der seinen traditionellen Charme in Architektur und

Kreut
Brunnenbühel
Bärenfilz
Illach
Hausen
Schneibenbauer
Wildgraben
Hargenwies
Schleierfälle
Ammerleite
Peustelsau
Wildsee
Wildseefilz
B 23
Findenau
Mühlbach
Saulgrubmühle
Fatimakapelle
Wetzstein
Saulgrub
Schwepbach
Achele
Eckfilz
Ammer
Gschwenderfilz
Altenauer Moor
Ammergauer Straße
865
Altenauer Straße
Saulgruber Straße
Gerstenfilz
895
Eckwald
Haldemooseck
.1005
Leimbach
Königstraße
Unternoggstraße
Mayersäge
Jagd-Hütte
Unternogg
Altenau
Vorderkehr
Ranfscherweiher
17
Hinterkehr
Wäldle
Rochusfeld
Windegg
Bad Kohlgrub
Steigrain
Gagers
Obermühle
Mühlstraße
Untermühle
Kurhaus
Guggenberg
Sonnen
Obernau
Großenast
Falleralm
Kraggenau
Schönau
Erholungsheim
.1075
Sonneneck
18
16
Bichelschmeizer
Bergwachthütte
Geißberg
Elmauberg
Wurmansau
Vorderes Hörnle
.1450
Hörnle-Hütte
.945
Altenberg
Mittleres Hörnle
Jagd-Hütte
Aible-Hütte (verfallen)
Dienst-Hütte
Kleinwildfeuerberg
.1500
Hörnle-Alm
Jagd-Hütte
.1540
Hochwildfeuerberg
Dürreckwände
Dürreckkopf
Hochschergen
.1395
Waldlaine
Stier-Alm
Jagd-Hütte
1
1,5
2
2,5
4
51

Landschaft vor Grafenaschau

Lebensstil bewahrt hat mit Bauerntheater, Trachten, Festen, Prozessionen und urtümlichen alten Häusern mit geranienbepflanzten Balkonen.

Von Bad Kohlgrub nach Ohlstadt 23 km

In Bad Kohlgrub auf der **Mühlstraße** durch die Zone 30 ~ leicht bergab ~ über eine Brücke ~ danach dem Straßenverlauf (Weg 24) folgen ~ zur Linken der Lindenbach ~ an einem Sägewerk vorüber ~ dem unbefestigten Weg folgen ~ durch den Wald ~ nach einem Kilometer an der Gabelung nach rechts Richtung Grafenaschau in den Landwirtschaftsweg mit Weiderost und Gatter.

Tipp: Innerhalb der nächsten 2,5 Kilometer kann es passieren, dass Sie frei herumlaufenden Kühen begegnen.

Auf dem unbefestigten Weg geradeaus weiter Richtung Murnau und Grafenaschau ~ zur Linken der Lindenbach ~ in einem scharfen Linksbogen wieder auf Asphalt ~ über eine Brücke mit 10-Tonnen Beschränkung ~ danach wieder unbefestigt ~ durch den Wald ~ an ein paar Bänken vorüber.

An einem weiteren Weiderost und Gatter geradeaus ~ bei der Gabelung rechts über eine Brücke ~ an der darauffolgenden Gabelung links und an einer kleinen Hütte vorüber ~ dem Wegverlauf Richtung Murnau folgen ~ wellig dahin ~ über ein aufgeschüttetes Flussbett ~ an der Kreuzung links auf Asphalt Richtung Murnau ~ links der Sportplatz.

Tipp: Beim Sportplatz bieten sich Bänke hervorragend für eine kleine Rast an.

An der Vorfahrtsstraße rechts ~ geradeaus bis nach Grafenaschau.

Grafenaschau

Das **Murnauer Moos** ist Teil des NSG Ammertal und ist besonders typisch für diese Gegend.

Auf der **Aschauer Straße** durch den Ort ~ rechts am Café vorüber ~ zur Rechten

Landschaft bei Hinterbraunau

liegt die Kirche ~ an der T-Kreuzung links in die **Schwaigener Straße** ~ nach dem Ort in einem Rechtsbogen über die Brücke ~ durch den Wald ~ rechts eine Holzhütte ~ leicht bergab den Wald verlassen ~ weiter zu den ersten Häusern der Gemeinde Schwaigen.

Gemeinde Schwaigen

Dem Asphaltband in einem scharfen Linksbogen folgen ~ über eine Brücke mit 3,5-Tonnen Gewichtsbeschränkung ~ zur Rechten die kleine Kapelle von Apfelbichl ~ unter der Autobahnbrücke hindurch ~ weiter geradeaus Richtung Eschenlohe ~ noch vor der Vorfahrtsstraße B2 rechts.

Eschenlohe

PLZ: 82438; Vorwahl: 08824

Verkehrsamt, Murnauer Str. 1, ✆ 8228

Die **St. Clemens Kirche** (1764-82) wurde vom Kloster Ettal errichtet und dem Märtyrer Clemens geweiht. Zu sehen sind drei Altäre, die aus der Werkstatt des Hofbildhauers Straub stammen und von dem Altarmaler Schmon aus Augsburg gestaltet wurden.

Rathaus

Moos- und Bergwanderungen, Infos beim Verkehrsamt.

In Eschenlohe endet Ihre Reise durch das Werdenfelser Land. Sie radeln nun weiter durch das Loisachtal. Eschenlohe – umgeben von Ester- und Ammergebirge – hat seinen ländlich-dörflichen Charakter bewahrt und besitzt einen unverwechselbaren Charme.

Vom 12. bis ins 14. Jahrhundert herrschten die Grafen von Eschenlohe über ihre Besitztümer, die sich von Murnau bis ins Ultental in Südtirol erstreckten. Auf dem ehemaligen Burggelände, dem Vestbichl und heutigen Kalvarienberg, wurde 1628 die St. Nikolaus Kapelle errichtet. Von hier hat man, wie einst die Grafen von Eschenlohe, einen wunderschönen Blick über das Loisachtal.

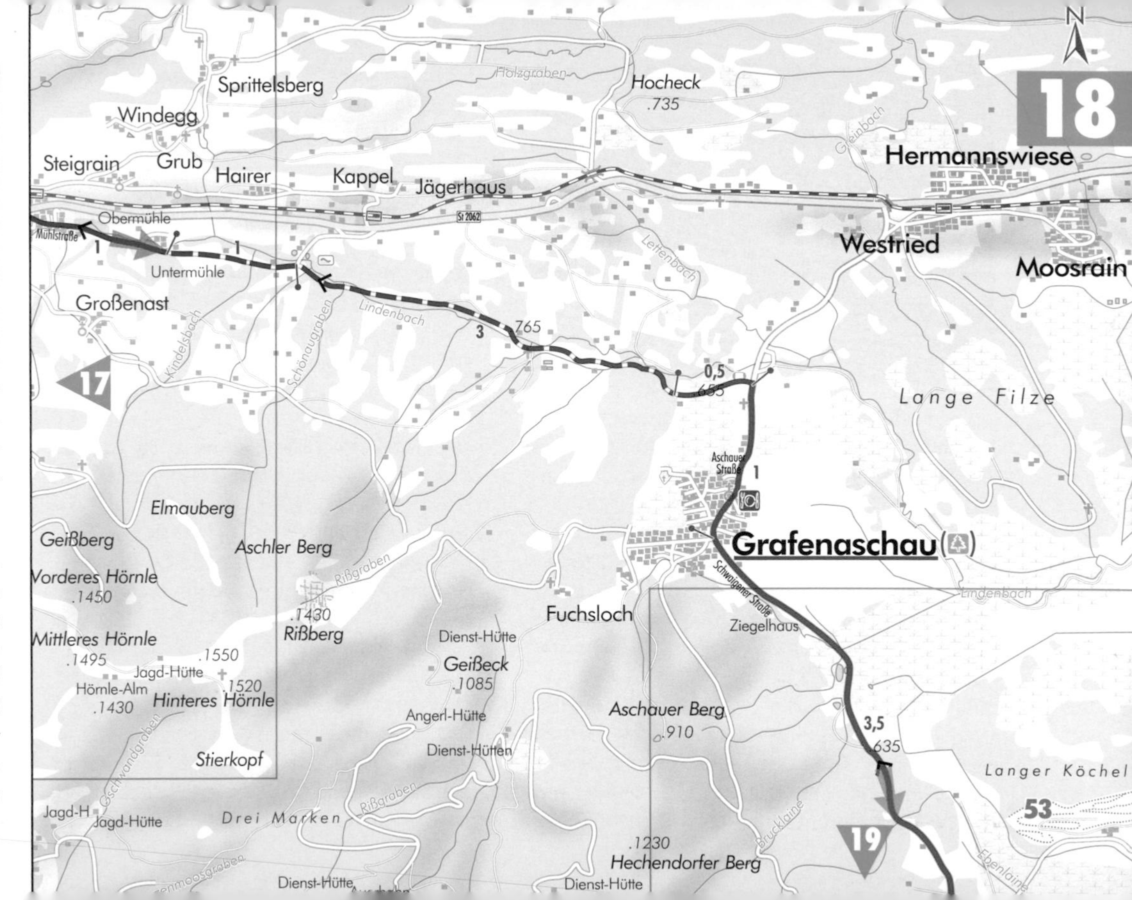

Blick auf Ohlstadt

In Eschenlohe bei der T-Kreuzung links ~ unter der Brücke der B2 hindurch in die **Höllensteinstraße** ~ über die Bahn ~ linker Hand eine Kirche ~ an der nächsten Vorfahrtsstraße links Richtung Gasthof Alter Wirt ~ auf der **Murnauer Straße** am Rathaus rechts vorüber ~ über die Bahngleise.

Geradeaus vor zur **B 2** auf den rechtsseitigen Radweg ~ am Mischwerk Eschenlohe vorüber ~ danach unbefestigt links der Loisach ~ an der nächsten T-Kreuzung endet der Radweg ~ rechts über die Brücke der Loisach ~ auf der mäßig stark befahrenen Straße nochmals über eine Brücke ~ zur Linken die Autobahnbrücke ~ an der **Bartlmämühle** vorüber ~ über die Gleise geradeaus bis nach Ohlstadt.

Ohlstadt

PLZ: 82441; Vorwahl: 08841

Verkehrsamt Ohlstadt, Rathausplatz 1, ✆ 7480

Kaulbach-Villa, ÖZ: 1. April-31. Okt, Mi und Sa 16-18 Uhr, 25. Dez.-10. Jan., Sa 15-17 Uhr. Anmeldung beim Verkehrsamt Ohlstadt, ✆ 7480. Der Maler Friedrich August von Kaulbach lebte in Ohlstadt von zirka 1850 bis 1920. Er erbaute diese Villa als Zweitwohnsitz, sozusagen als Sommerresidenz. Heute dient sein Atelier als Museum, welches die Arbeitsweise eines Künstlers aus damaliger Zeit zur Schau stellt.

Pfarrkirche St. Laurentius, fand erstmals 1085 als St. Lorenzkirche Erwähnung. Nach einem Brand zu Beginn des 17. Jhs. erfolgte erst 1762 die Weihe der Kirche. Die Kirche wurde danach im damaligen Barockstil wiederaufgebaut.

Fieberkircherl, das Besondere ist die alte Linde beim Fieberkircherl welche 1686 gepflanzt wurden. Die Legende erzählt, dass der Teufel hier einen Priester, der in Ohlstadt einen schwerkranken Bauern ärztlich versorgen wollte, aufgehalten hat. Laut der Sage überwand der Priester den Teufel, das Böse, und traf den Todkranken noch lebend an.

Der Name Ohlstadt wird das erste mal 835 urkundlich erwähnt und zwar in einer Schenkungsurkunde, in der ein Ehepaar namens Alprich und Imma und ihr Sohn Diakon

Fieberkircherl – nach Ohlstadt

Zotto ihren Besitz an das Kloster Schlehdorf übertragen. Ohlstadt war der Ort unter dem Heimgarten. Die Siedlungsgeschichte des Gebiets geht bis in die Bronzezeit zurück. Südöstlich von Ohlstadt befindet sich die Veste Schauenburg, die älteste Höhenburg im Loisachtal. 1096 war die Burg im Besitz von Rudolf von Owelstadt, rund um die Burg entwickelte sich die Hofmarch Ollstadt. 1493 erwarb das Kloster Schlehdorf die Hofmarch und hatte die niedere Gerichtsbarkeit darüber bis 1803 inne. Von der Schauenburg ist heute nichts mehr erhalten, da sie während der Klosterherrschaft verfiel.

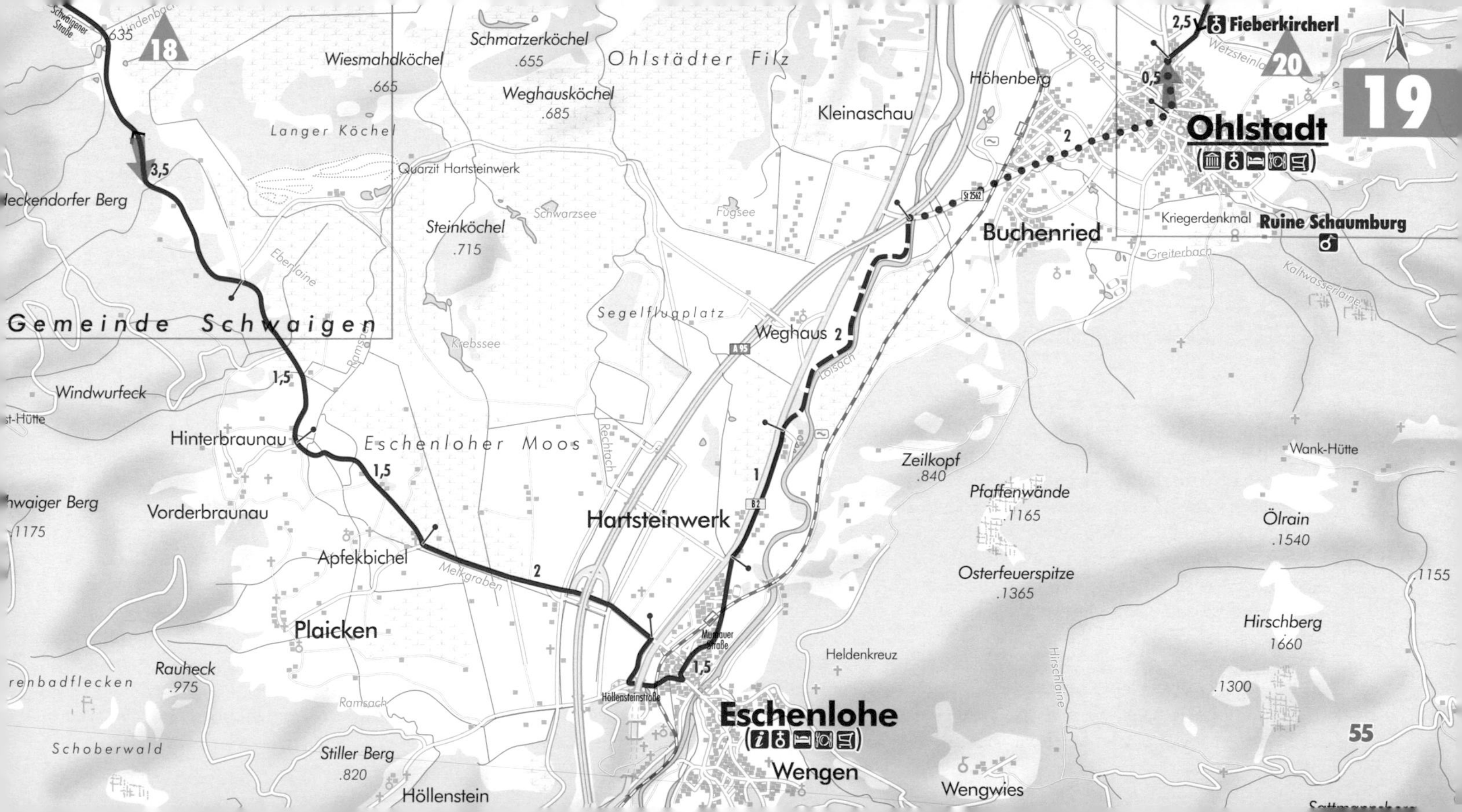

Schwaigener Straße
Lindenbach
635
18
Schmatzerköchel
.655
Ohlstädter Filz
Wiesmahdköchel
.665
Weghausköchel
.685
Langer Köchel
Quarzit Hartsteinwerk
3,5
Heckendorfer Berg
Steinköchel
.715
Schwarzsee
Fügsee
Kleinaschau
Höhenberg
Dorfbach
2,5
Fieberkircherl
Wetzsteinlaine
20
0,5
19
Ohlstadt
2
St 2562
Buchenried
Kriegerdenkmal
Ruine Schaumburg
Greiterbach
Kaltwasserlaine
Ebenlaine
Segelflugplatz
Weghaus
2
A 95
Loisach
Gemeinde Schwaigen
Krebssee
Ramsach
1,5
Windwurfeck
Hinterbraunau
Eschenloher Moos
Rechtach
1,5
1
Zeilkopf
.840
Wank-Hütte
Pfaffenwände
.1165
Vorderbraunau
B 2
Hartsteinwerk
Ölrain
.1540
.1175
Apfekbichel
Melkgraben
2
Osterfeuerspitze
.1365
.1155
Plaicken
Murnauer Straße
Hirschberg
1660
Heldenkreuz
1,5
Rauheck
.975
Höllensteinstraße
.1300
Hirschlaine
Ramsach
Eschenlohe
Wengen
Schoberwald
Stiller Berg
.820
Höllenstein
Wengwies

Blick auf den Kochelsee

Von Ohlstadt nach Kochel am See 14,5 km

Dem Straßenverlauf durch die Stadt folgen ~ an der Bushaltestelle vorüber ~ nach rechts in den **Fieberkirchweg** Richtung Großweil ~ am **Fieberkircherl** links vorüber ~ geradeaus in den Landwirtschaftsweg leicht bergab und wieder bergauf ~ in einem Rechtsbogen in den nächsten Landwirtschaftsweg ~ noch vor dem Wald in den geschotterten Weg bis nach Schwaiganger.

Schwaiganger

Haupt- und Landgestüt Schwaiganger, Führungen: Mai - Mitte Okt. jeweils Di, Mi und Do außer Fei 13.30 und 15 Uhr. Gruppen nach Vereinbarung. Treffpunkt ist der Brunnen vor dem Hauptgebäude. Hauptaufgabe des Ortes liegt in der Zucht und Aufzucht von Hengsten. Das Gestüt in Schwaiganger ist das größte in gesamt Bayern.

Die Geschichte des Ortes lässt sich urkundlich bis 955 zurückverfolgen. Seit mehr als 1000 Jahren werden in Schwaiganger Pferde gehalten. Zu Beginn seiner Geschichte war das Gestüt im Besitz einer Adelsfamilie. 1493 ging es in den Besitz des Kloster Schlehdorfs über. Ab 1610 gehörte es zu dem Hofgestüt Graßlfing, zu dieser Zeit wurde es vor allem als Sommerweide für Rinder und Pferde genutzt. Ein Großteil der Stallungen stammt aus der Zeit von 1808 bis 1918, in der Schwaiganger als Fohlenhof und Remontedepot für das Militär diente. 1920 übernahm der bayrische Staat das Stammgestüt, zunächst wurde ein Kaltblutgestüt errichtet um die bäuerliche Zucht zu fördern. Nach dem 2. Weltkrieg begann man Haflingerhengste auf dem Gestüt aufzuziehen. 1963 fing man an eine Warmblutstutenherde aufzubauen, sieben Jahre später kam eine Haflingerstutenherde hinzu. 1980 wird schließlich das Bayrische Haupt- und Landsgestüt geschaffen. Heute hat das Gestüt Schwaiganger sich die Zucht und Aufzucht von Warmblut-, Haflinger- und Süddeutschen Kaltblutpferden zur Hauptaufgabe gemacht. Außerdem stellt das Gestüt zu günstigen Bedingungen Zuchthengste für die Landespferdezucht zur Verfügung. Schwerpunkt liegt in der Warmblutzucht, das Gestüt will die Reitpferdeeigenschaften noch weiter verbessern. Bei der Zucht von Haflingern und Kaltblutpferden möchte man sowohl die wertvollen Gene erhalten, als auch die Rassen nach heutigen Zuchtzielen weiterentwickeln.

Kochel am See

Am Ortsbeginn an einem großen Gutshof vorüber ~ an der Asphaltstraße rechts ~ zur Rechten ein kleiner Teich ~ durch eine Allee ~ bei einem Gutshof endet die Asphaltstraße ~ weiter auf unbefestigtem Weg ~ kurz darauf geradeaus auf dem rechtsseitigen Radweg der St 2062 bis nach Großweil.

Großweil

PLZ: 82439; Vorwahl: 08851

- **Tourist Info Kochel am See**, Kalmbachstr. 11, ☎ 338
- **Freilichtmuseum am Glentleiten**, Großweil, ☎ 18510, ÖZ: April-Okt., Di-So 9-18 Uhr; Juli/August tägl. 9-18 Uhr; Führungen, Veranstaltungen. Hier wurden ländliche Bauten aus ganz Oberbayern wieder original aufgebaut und eingerichtet. Zu sehen sind Werkstätten und Handwerks-Vorführungen.

Am Ortsbeginn in Höhe des Friedhofes endet der Radweg ~ auf der **Kocheler Straße** durch Großweil ~ an der Kirche vorüber ~ nach dem Ort links Richtung Unterau.

Unterau/Schlehdorf

- **Kloster Schlehdorf.** 763 wird zum ersten Mal eine klösterliche Niederlassung und eine Kirche in Schlehdorf erwähnt. Die Kirche war dem Hl. Dionysios geweiht. 769 wurde ein Benediktinerkloster nach Schlehdorf verlegt. Der erste Abt des Klosters brachte Reliquien des Hl. Tertulin mit. Die Tradition seines Festes hat sich bis heute gehalten, es wird noch immer am 31. Juli gefeiert. 783 wird das Kloster zu einem bischöflichen Eigenkloster. 837 wird das Benediktinerkloster Schlehdorf zum letzten Mal urkundlich erwähnt, man nimmt an, dass es während der Ungarstürme im 10 Jh. unterging. 1140 blüht das Kloster schließlich wieder neu auf, bis es 1803 aufgelöst wird und die Kirche in Staatsbesitz übergeht und zur Pfarrkirche wird. 1904 wird das Kloster von Dominikanerinnen als Aussendungskloster für die Missionsarbeit gekauft. 1960 wird das Missionskloster zur Provinz erhoben.

Dem Straßenverlauf in einem scharfen Rechtsbogen folgen ~ nach der Kirche links in den Landwirtschaftsweg ~ über eine kleine Brücke und die große Brücke der Loisach ~ danach rechts auf den asphaltierten Damm links der Loisach.

Tipp: Zur Rechten ein wunderschöner Ausblick auf das Kloster von Schlehdorf.

Für die Hauptroute an der Vorfahrtsstraße links auf den Radweg (Radschild vorhanden) ~ der Radweg verläuft parallel

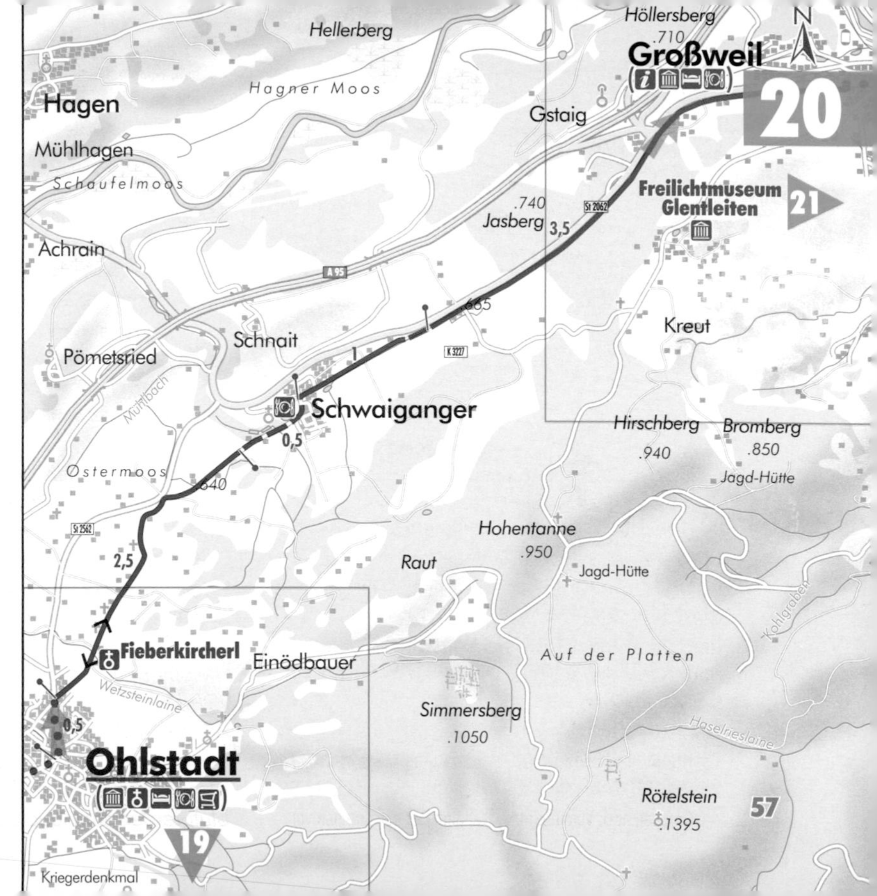

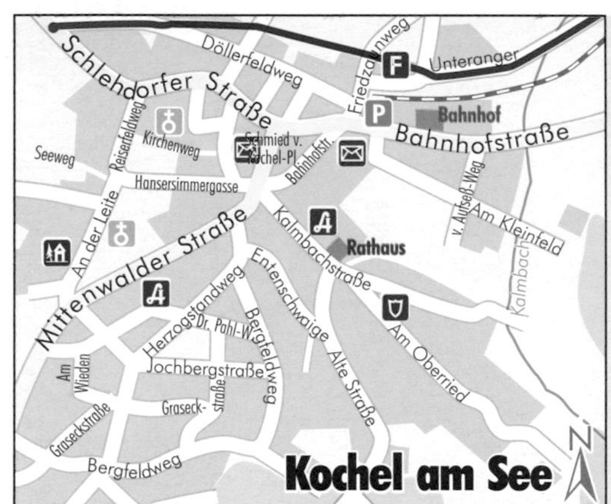

zur St 2062 ⁓ an einem Rastplatz vorüber ⁓ über die Brücke der Loisach.

Rechter Hand der schöne Kochelsee ⁓ über eine weitere Brücke ⁓ nach der zweiten Brücke direkt in die den Ort Kochel am See ⁓ vorerst auf mäßig stark befahrener Straße durch Kochel am See ⁓ nach links in den **Döllerfeldweg**.

Tipp: Wenn Sie hier jedoch geradeaus weiterfahren gelangen Sie direkt in das Zentrum von Kochel am See.

Kochel am See

PLZ: 82431; Vorwahl: 08851

Tourist Info, Kalmbachstr. 11, ✆ 338

Franz Marc Museum, Herzogstandweg 43, ✆ 7114, ÖZ: März-Mitte Jan. außer 24. u. 31.12., tägl. 14-18 Uhr, Mo geschlossen. Das Museum zeigt über 150 Werke des Künstlers Franz Marc (1880-1916) und zahlreiche schriftliche Dokumente zum Leben des größten bayerischen Malers des 20. Jhs..

Volkstheater, Heimatbühne. Spielzeit in den Sommermonaten, Termine s. Veranstaltungskalender.

geführte Radtouren und weitere Auskunft zum Radtourismus bei der Tourist-Info.

Führungen: Bergwanderungen, naturkundlichen Führungen, Wildkräutergang, Walchenseekraftwerk und Franz Marc Museum, s. Veranstaltungskalender.

Walchensee-Kraftwerk, Altjoch 21, ✆ 77211 od. 770, ÖZ: April-Okt. tägl. 9-17 Uhr; Nov.-März tägl. 9-16 Uhr. Das Kraftwerk wurde 1924 erbaut und nutzt einen Höhenunterschied von 200 Metern zur Energiegewinnung.

Aspenstein Panoramablick.

Blick auf Kochel am See

Landschaftschutzgebiet Loisach-Kochelseemoore. Das ausgedehnte Feuchtgebiet ist ein Lebensraum für eine Vielzahl seltener Pflanzen- und Tierarten.

Kochelsee, Walchensee.

Alpen-Panorama-Bad „trimini“, ✆ 5300, ÖZ: 1. Mai-30. Sept. tägl. 9-20 Uhr, Mi 9-20 Uhr, 1. Okt.-30. April, tägl. 10-20 Uhr, Mo geschlossen, Mi 10-21 Uhr. Erlebnis- und Familienbad, Hallen- und Freibad, Heißwassersprudelbecken, Sauna, „Allwetterrutsche“, Gastronomie, Veranstaltungen.

B. Heinritzi, Bahnhofstr. 8, ✆ 471; K. Asenstorfer, Urfeld a. Walchsee, ✆ 363

Mountainbike: Dive College, Graseckstr. 34, ✆ 1750, auch geführte Touren; B. Heinritzi, Bahnhofstr. 8, ✆ 471.

Malerisch liegt Kochel am See im bayerischen Alpenvorland, die für den Maler Franz Marc eine

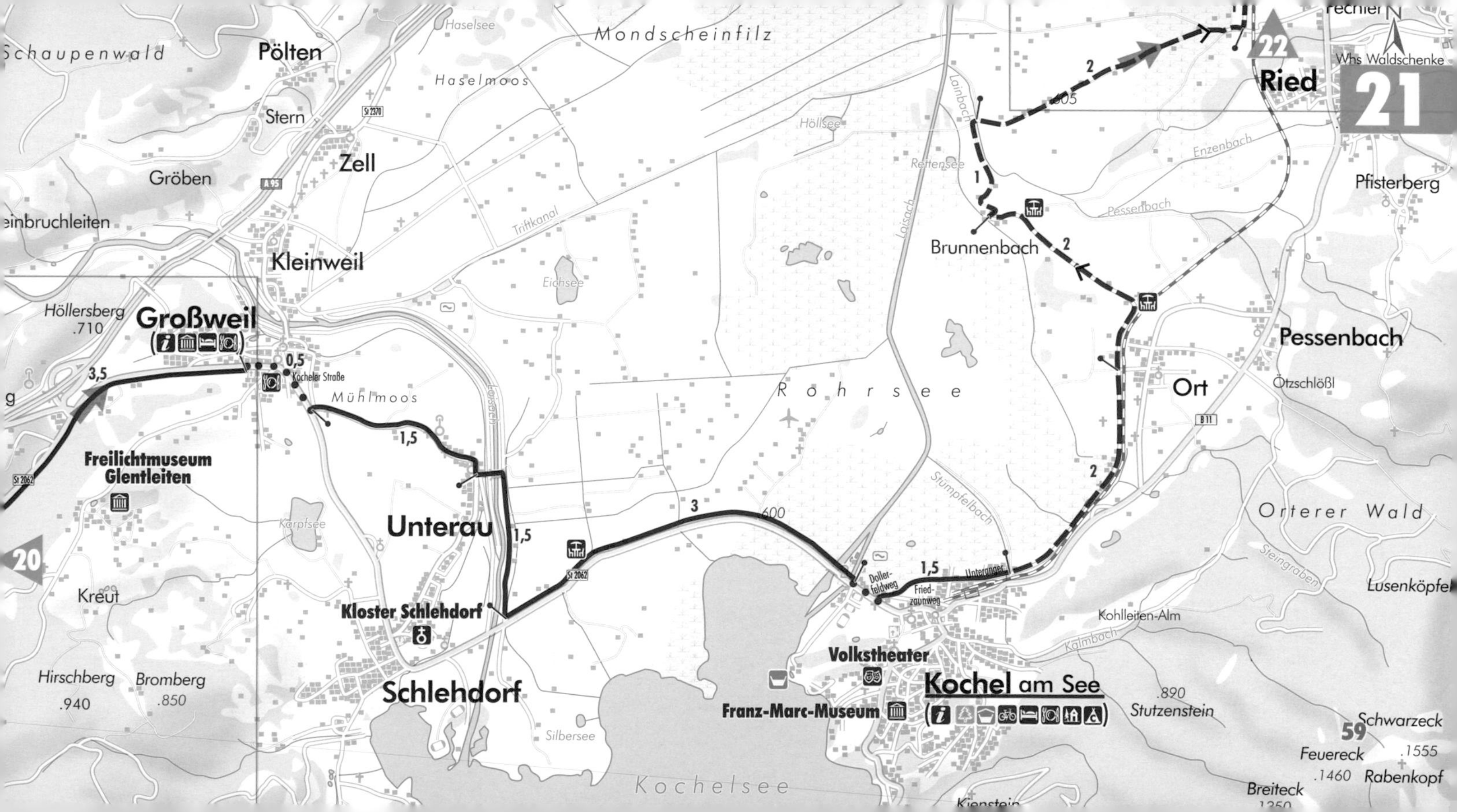

Schaupenwald
Pölten
Mondscheinfilz
Haselsee
Haselmoos
Stern
Zell
Gröben
A 95
St 2370
Höllsee
Rettensee
Lainbach
Enzenbach
Ried
Whs Waldschenke
21
22
Pfisterberg
Pessenbach
Brunnenbach
Triftkanal
Loisach
einbruchleiten
Kleinweil
Eichsee
Höllersberg
.710
Großweil
0,5
Kocheler Straße
3,5
Mühlmoos
1,5
Rohrsee
Ort
Ötzschlößl
B 11
Freilichtmuseum Glentleiten
St 2062
Unterau
1,5
Karpfsee
3
600
Stümpfelbach
2
Orterer Wald
20
Kreut
Kloster Schlehdorf
Dollerfeldweg
Friedzaunweg
Unteranger
Steingraben
Lusenköpfel
Kohlleiten-Alm
Kalmbach
Volkstheater
Kochel am See
Franz-Marc-Museum
Hirschberg
.940
Bromberg
.850
Schlehdorf
Silbersee
.890
Stutzenstein
Schwarzeck
59
Feuereck
.1555
.1460
Rabenkopf
Breiteck
Kochelsee

Quelle der Inspiration war. Aus München zog er bereits 1908 hierhin und erwarb 1914 ein Haus in Ried bei Kochel. Zusammen mit Wassily Kandinsky gründete er die Künstlergruppe „Der Blaue Reiter".

Ganz in der Nähe liegt der Walchensee, der mit seiner idyllischen Ruhe schon Goethe, Lovis Corinth und Ludwig II. bezaubert hat. Hier ist altes Brauchtum sehr lebendig.

Alte Bauernhöfe und das Klösterl säumen das Ufer des Sees. Letzteres ließ Kurfürst Ferdinand Maria von Bayern im Jahr 1688 zu Ehren der Heiligen Anna erbauen, als Fürbitte für die Geburt eines Thronfolgers. Vier Jahre später erblickte Josef Ferdinand das Licht der Welt.

Der Walchensee bietet noch weitere Sehenswürdigkeiten, so das eindrucksvolle Wasserkraftwerk, das täglich besichtigt werden kann.

Von Kochel am See nach Benediktbeuern 9,5 km

Tipp: Von Kochel am See nach Benediktbeuern geht es stetig leicht bergauf, auch wenn man es fast nicht merkt.

Von Döllerfeld weg nochmals links in den asphaltierten Radweg, dieser endet beim Haus mit der Nummer 10a ~ geradeaus auf dem

Blick auf Kloster Benediktbeuern

Friedzaunweg durch die Wohnsiedlung ~ geradeaus in die Straße **Unteranger**.

Links der Bahngleise Richtung Bad Tölz und Benediktbeuern geradeaus auf geschottertem Weg ~ an einigen Bänken vorüber ~ immer geradeaus parallel zu den Gleisen ~ über eine kleine Brücke ~ an einem Wegkreuz vorüber ~ zur Rechten liegt das Dorf Ort.

Ort

Nach zwei Kilometern auf unbefestigtem Weg an der Kreuzung geradeaus in den gepflasterten Weg ~ hier dem Straßenverlauf in einem Linksbogen folgen.

Tipp: An dieser Stelle lädt ein gemütlicher Rastplatz zu einer Pause ein.

Auf der Pflasterstraße von den Bahngleisen weg ~ an einem weiteren Rastplatz vorüber ~ auf gepflasterter Straße in den Landwirtschaftsweg ~ der Weg endet an der Weggabelung ~ hier rechts in den unbefestigten Weg Richtung Hof ~ am Hof rechts vorüber ~ bei der T-Kreuzung rechts in den Landwirtschaftsweg Richtung Benediktbeuern und Bad Tölz ~ in Kurven ein Stück am Lainbach entlang.

An der T-Kreuzung rechts über die Holzbrücke ~ danach geradeaus auf unbefestigtem Weg ~ an einigen Holzhütten vorüber ~ aus der Ferne erblicken Sie bereits das Kloster von Benediktbeuern ~ bei der Gabelung auf dem Hauptweg rechts ~ an der Kreuzung geradeaus ~ vor der Eisenbahnbrücke links ~ auf unbefestigtem Weg links der Gleise auf das Kloster von Benediktbeuern zu.

Benediktbeuern

PLZ: 83671; Vorwahl: 08857

- **Gemeinde Benediktbeuern**, Prälatenstr. 7, ✆ 6913-0
- **Historische Fraunhofer-Glashütte**, Don-Bosco-Str. 1, ✆ 88-0 oder 235. ÖZ: März-Okt., tägl. 9-18 Uhr. Nov.-Feb. nur nach Vereinbarung. Die Glashütte mit zwei Hafenschmelzöfen und zugehörigen Bild- und Textdokumentationen ist als Museum eingerichtet und soll an die außergewöhnlichen Arbeiten von Josef Fraunhofer erinnern.

Kloster Benediktbeuern, entstand 739, wurde 1803 aufgelöst. 1930 erwarb die Ordensgemeinschaft der Salesianer Don Boscos die Klosteranlage. Im Besondereren widmet sich das Kloster der Bildung und Erziehung junger Menschen. Deshalb gibt es in Benediktbeuern heute zwei Hochschulen und ein vielfältiges Bildungsangebot.

Anastasia-Kapelle, Dorfplatz 4, ÖZ: tägl. von 8-17 Uhr, Führungen möglich. Anmeldung bei Kath. Pfarramt Benediktbeuern, ✆ 83671, Ansprechpartner Herr Pfarrer Karl Abt ✆ 252. Die wunderschöne Anastasiakapelle wurde 1742-1758 vom Architekten Johann Michael Fischer erbaut. Johann Michael Feuchtmayer gestaltete den Hochaltar mit schönen Plastiken. Das Deckenfresko stammt von Johann Jakob Zeiller.

Der Ort Benediktbeuern verdankt seinen Namen dem Kloster Benediktbeuern. Das Wort heißt wörtlich auf Deutsch übersetzt „Gesegnetes Beuern". Das alte Dorf trägt einen ausgesprochenen bäuerlichen Charakter, wie bereits der Ortsname schon verrät.

Mit der Gründung des Kloster Bedenediktbeuern um 739 entstand bald auch eine weltliche Siedlung um das Kloster. Die Siedlungseinwohner standen in Abhängigkeit des Klosters, allerdings wurden sie auch vom ihm unterstützt. Die Entwicklung der Siedlung war über Jahrhunderte hinweg von der wirtschaftlichen und kulturellen Macht des Klosters abhängig. 1160 wird die Siedlung zu ersten Mal mit eigenständigem Namen erwähnt, sie ist mit Laingreb angeführt. 1865 wurde die Siedlung nach dem Kloster Benediktbeuern benannt. Während des Dritten Reiches erlebte das Dorf einen großen Einbruch, es dauerte bis sich der Zustand in Benediktbeuern nach dem 2. Weltkrieg wieder normalisiert hatte. Trotz allem konnte das Dorf viel von seinem traditionellen Aussehen bis in die Gegenwart hinein erhalten.

Landschaft bei Untersteinbach

Von Benediktbeuern nach Bad Tölz 16 km

Kurz vor Benediktbeuern geradeaus auf dem unbefestigten Weg rechts am Kloster und am ersten Bahnübergang vorüber ~ bei der zweiten Möglichkeit nach rechts über die Gleise in die **Bahnhofstraße** ~ wieder auf Asphalt an einem Kinderspielplatz und der Jugendherberge vorüber ~ an der Ampelkreuzung geradeaus ~ nach dem Gasthof zur Post links in die **Tölzer Straße** ~ danach weist das Radschild rechts in die **Ludlmühlstraße** ~ am Feuerwehrgerätehaus und an der Schule vorüber ~ geradeaus bis nach Bichl.

Bichl

An der T-Kreuzung von Bichl nach rechts.

Tipp: Fahren Sie hier nach links, dann gelangen Sie in das Zentrum von Bichl.

Bei der Kreuzung geradeaus am Gasthof Ludlmühle vorüber ~ über eine schmale Brücke ~ geradeaus bis nach Obersteinbach.

Obersteinbach

Durch den Ort ~ auf dem Radweg unter der Straßenbrücke der **B 11** hindurch ~ danach direkt in den nächsten Ort.

Untersteinbach

Sie bewegen sich links der B 472 ~ durch eine Allee ~ an der Vorfahrtsstraße nach links auf den linksseitigen Radweg ~ nach 500 Metern rechts.

Unter einer Hochspannungsleitung hindurch und bergauf ~ am Abzweig dem Hauptweg nach links folgen ~ danach leicht bergab ~ an der T-Kreuzung weist das Radschild rechts ~ noch vor der B 472 auf den Radweg nach links bis zur Hauptstraße ~ auf dem schmalen Radweg bis zum Beginn der **Ferdinand-Maria-Straße** in Bad Heilbrunn.

Bad Heilbrunn

PLZ: 83670; Vorwahl: 08046

Gästeinformation, Wörnerweg 4, ✆ 323, auch

Die jodhaltige **Adelheidquelle** ist nach der bayerischen Kurfürstin Henriette Adelheid von Bayern benannt.

Blick auf Bad Heilbrunn

Moorwasser-Freibäder am Schönauer Weiher und bei der Reindlschmiede.

VitArea, ✆ 188522. Wellness- u. Vitalzone.

Bad Heilbrunn blickt auf eine über 300-jährige Kurtradition zurück. Symbol hierfür ist die Jugendstilvilla des Architekten Gabriel von Seidl. Die Heilkräfte der jodhaltigen Adelheidquelle waren aber schon den Kelten bekannt. Erstmalig erwähnt wurde die Quelle in einer Urkunde von Mönchen in Benediktbeuern.

Seit 1659 ist Heilbrunn bayerisches Hofbad. Hierin zog sich Kurfürstin Henriette Adelheid von Bayern zur Erholung zurück. Nach diesem Sommer gebar sie ihrem Mann, Kurfürst Ferdinand Maria, den lang ersehnten Thronfolger.

Gerade in den Ort hinauf ~ über eine Brücke ~ an der Kirche, Apotheke und der Haltestelle vorüber ~ dem Straßenverlauf in die **Birkenallee** folgen.

Tipp: Ab hier ist eine lohnende Variante nach Bad Tölz über Ramsau und Oberbuchen möglich. Die Variante ist zwar um 2,5 Kilometer länger und ziemlich hügelig, aber vom landschaftlichen Aspekt reizvoller als der Radweg entlang der B 472.

Für die Hauptroute an der T-Kreuzung links auf den straßenbegleitenden Radweg Richtung Bad Tölz ~ parallel zur B 472 durch den Ort Hinterstallau.

Hinterstallau

In Hinterstallau am Gasthof Wiesheber vorüber ~ links der Stallauer Weiher.

Tipp: Direkt am See besteht die Möglichkeit zu Campen.

Auf dem Radweg an einem Parkplatz vorüber ~ zur Rechten die **Blomberg Bahn** (Sommerrodelbahn) und ein Parkplatz ~ in Höhe des Parkplatzes auf dem Radweg nach links Richtung Bad Tölz West ~ links liegt der Golfplatz (nicht sichtbar) ~ am Ortsbeginn von Bad Tölz endet der Radweg ~ durch Bad Tölz vorerst auf der **Benediktbeurer Straße** ~ am Gasthof Altes Zollhaus vorüber ~ dem Straßenverlauf Richtung Stadtmitte folgen.

Vor der Tankstelle nach rechts in die **Ludwigstraße** einbiegen ~ durch die Ludwigspromenade ~ vorbei am von Gabriel von Seidl erbauten Kurhaus, dem Haus des Gastes und der Kurbücherei ~ zur Linken der schöne Kurpark und die Wandelhalle ~ an einigen Hotels vorüber bis zur Tourist-Information am Ende der Ludwigstraße ~ bei der Vorfahrtsstraße wieder links auf die mäßig stark befahrene **Badstraße** Richtung Bad Tölz.

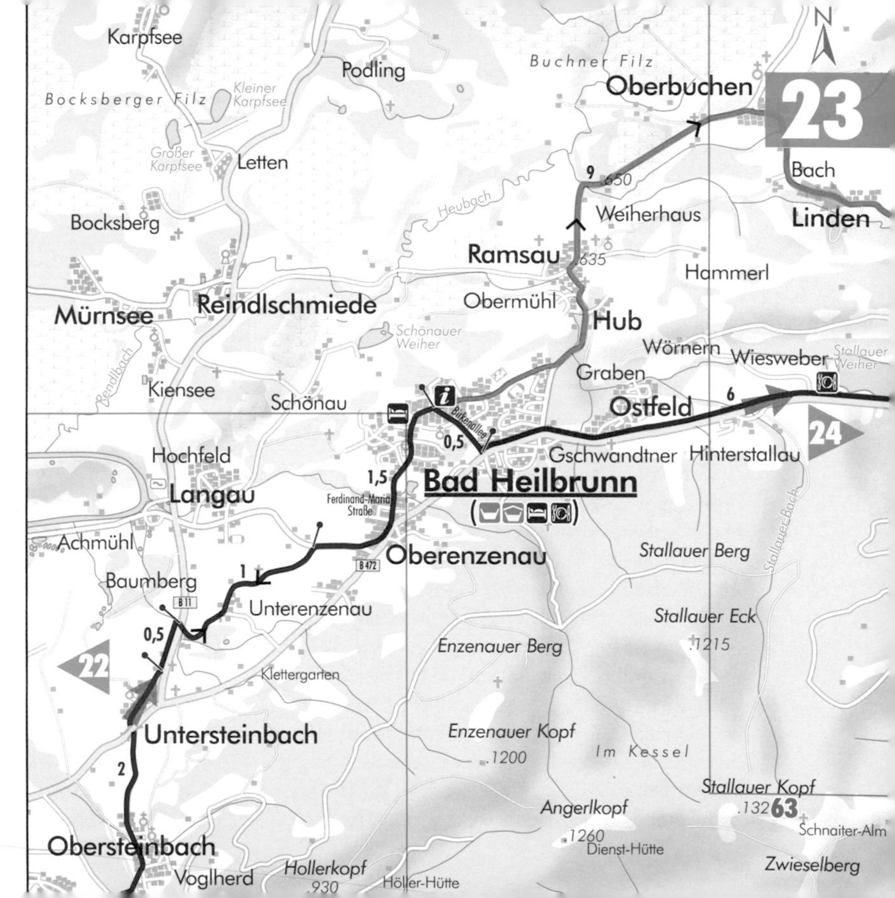

Bad Tölz

PLZ: 83646; Vorwahl: 08041

Tourist-Information, Max-Höfler-Platz 1, ✆ 78670.

Heimatmuseum, Marktstr. 48, ✆ 504688, ÖZ: Di-So 10-16 Uhr. Das Museum widmet sich der Kunst der Kistler, die weit über die Landesgrenzen für ihre mit Verzierungen bemalten und geschnitzten Tölzer Schränke, Truhen, Wiegen, Himmelbetten und Bauernmöbel bekannt waren. Darüber hinaus widmet sich das Museum dem Brauereigewerbe von Tölz, das lange Zeit 22 Brauereien betrieben hat. Neben einer Ausstellung zu religiöser Volkskunst und der Dokumentation der traditionellen Leonhardi-Fahrt finden sich zahlreiche Zeugnisse Tölzer Alltagskultur.

Stadtpfarrkirche Maria Himmelfahrt, Frauenfreithof 2, ✆ 7612-60. Die Kirche wurde 1466 gebaut und ist ein Beispiel bayerischer Spätgotik.

Mühlfeldkirche, Salzstr. 29, ✆ 7612-60. Zwei bedeutende Künstler des 18. Jhs., die verschiedentlich gemeinsame Projekte durchführten, zeichnen für die Erbauung und Ausgestaltung der Mühlfeldkriche verantwortlich. Der Wessobrunner Baumeister Joseph Schmutzer (1683-1752) erbaute die barocke Kirche in der Zeit zwischen 1736 und 1737. Das Deckenfresko stammt von dem Direktor der Augsburger Malerschule Matthäus Günther (1705-1788). Es erinnert an die Tölzer Pestprozession des Jahres 1637 in die damalige Mariahilfkapelle auf dem Mühlfeld.

Leonhardikapelle, Auf dem Kalvarienberg. Die Kapelle, erbaut 1718, ist von einer Eisenkette umgürtet, die das Attribut des Hl.

Kalvarienbergkirche – Bad Tölz

Leonhard, dem Schutzpatron des Viehs, ist. Jährlich führt die Tölzer Leonhardifahrt am 6. November zu einem Gottesdienst vor der Kapelle auf den Tölzer Kalvarienberg hinauf.

Evangelische Kirche, Schützenstr. 12, ✆ 761273-31 Altarbild von Louis Corinth und das moderne Deckengemälde von Hubert Distler sind sehenswert.

Kalvarienbergkirche, Aufgang zum Kalvarienberg, ✆7612-60. 1726 wurde die Doppelkirche eingeweiht. Die Heilige Stiege mit ihren 28 Stufen wurde von Friedrich Nockher gestiftet. Sie ist eine Nachahmung der römischen Scala Sancta, die jene Stufen darstellt, auf denen Jesus zu Pontius Pilatus hinaufgeführt worden war. Mittelpunkt der Kirchenanlage ist das Heilige Grab mit den Figuren des Joseph von Arimathia und des Nikodemus.

Franziskanerkloster, Franziskanerg. 1, ✆ 76960. Das 1624 errichtete Kloster befindet sich im Badeteil der Stadt. An den Außenwänden der Klosterkirche befinden sich Grabdenkmäler alter Tölzer Familien. Die Skulpturen entstammen zum größten Teil aus der Werkstatt des Tölzer Bildhauers Fröhlich.

Die **Tölzer Parks** laden zum Verweilen ein: Kurpark am Kurhaus, Franziskaner-Kurgarten, Streidlgarten, Rosenpark, Vollmöllerpark.

Marionettentheater, Am Schloßplatz, ✆ 74176. Gründer des weithin bekannt gewordenen Marionettentheaters war der Apotheker Pacher. Ein halbes Jahrhundert nach seiner Gründung zog das Theater 1953 an den heutigen Spielort. Das Repertoire des preisgekrönten Theaters reicht von Mozartopern über traditionelle Theaterstücke und Märchen bis zu Kinderopern.

Bauerntheater. In der Saison in der Regel Di oder Sa um 19.30 Uhr im Kurhaus.

Infos zu den **Naturlehrpfaden**: Geokulturpfad, Naturerlebnispfad Isar und Waldkundepfad Schachen erhalten Sie bei der Tourist-Information.

Der zwischen 130 und 150 Mitglieder zählende **Tölzer Knabenchor** wurde 1956 gegründet. Einmal im Monat findet ein Konzert im Kurhaus statt.

Blomberg. Die Blombergbahn führt auf den 3 Kilometer westlich von Bad Tölz gelegenen Berg hinauf (1.248 m). Fahrzeiten bei gutem Wetter Mo-So 9-16 Uhr (im Winter), 9-18 Uhr (im Sommer).

Floßfahrten können unter ✆ (08042) 1220 reserviert werden.

Ballonfahrten. Infos und Anmeldung unter ✆ 77155.

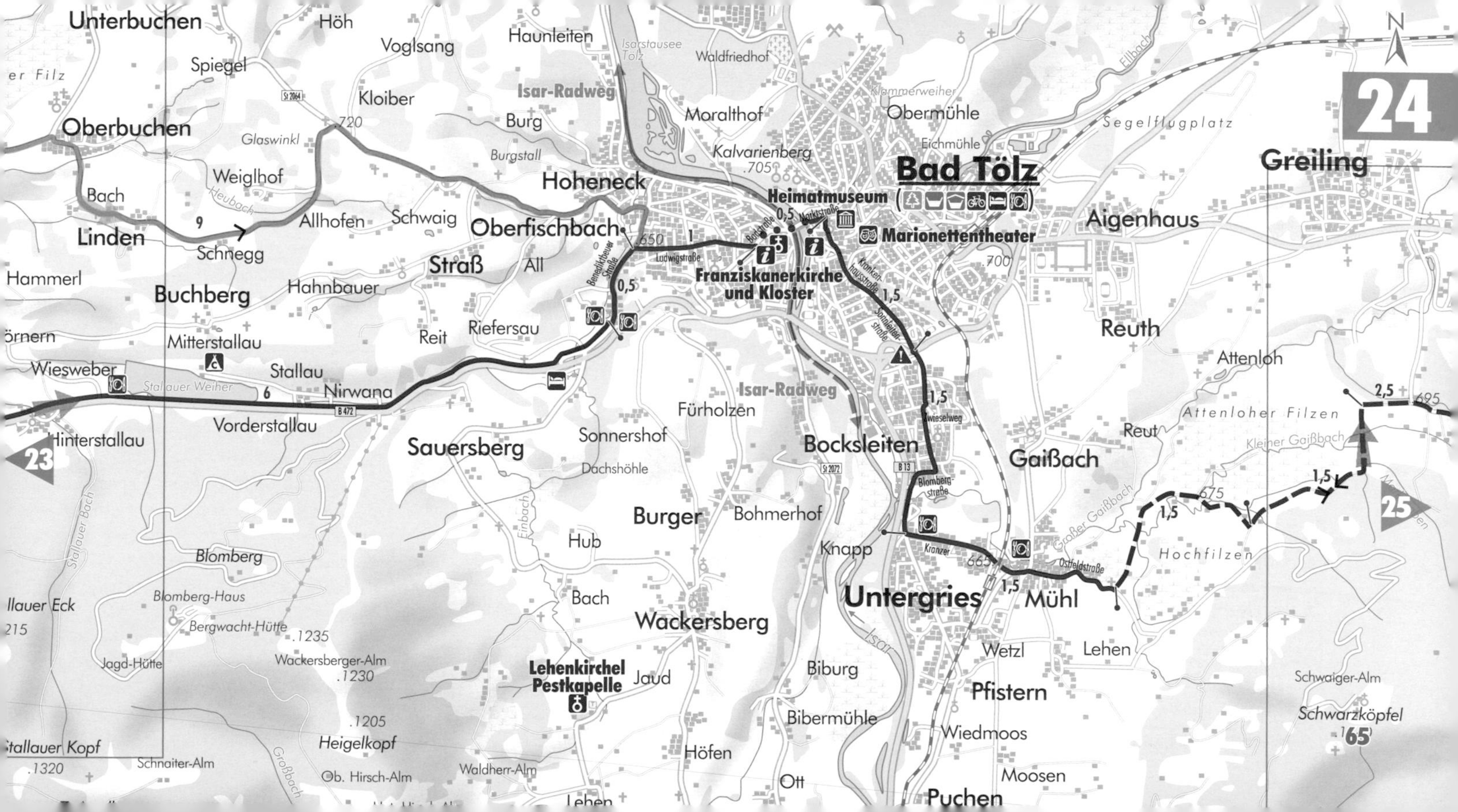

24
Bad Tölz
Heimatmuseum
Marionettentheater
Franziskanerkirche und Kloster
Lehenkirchel Pestkapelle
Isar-Radweg
Unterbuchen
Oberbuchen
Linden
Buchberg
Straß
Hoheneck
Oberfischbach
Greiling
Aigenhaus
Reuth
Gaißbach
Bocksleiten
Untergries
Mühl
Sauersberg
Burger
Wackersberg
Pfistern
Puchen
Attenloher Filzen
Hochfilzen
Segelflugplatz
Schwarzköpfel
23
25

- **Wochenmärkte** finden Mi und Fr von 8-12 Uhr auf dem Fritz- und Jungmayrplatz statt.
- **Naturfreibad Eichmühle,** ✆ 797-209, ÖZ: Mai-Sept, tägl. 9-20 Uhr.
- **Alpamare**, Ludwigstr. 14, ✆ 509991, ÖZ: Mo-Do 9-21 Uhr, Fr/Sa/So/Fei 9-22 Uhr. Erlebnis- und Freizeitbad mit Wellenbad, Rutschen, Saunalandschaft, Thermalsprudelbecken, Solefreibecken uvm.
- **Tölzer Hallenbad**, Am Sportpark 1, ÖZ: Mo/Mi 14-18 Uhr, Di/Do 6-8 u. 14-21 Uhr, Fr 14-21 Uhr, Sa/So 10-20 Uhr; Sauna, Di Damentag; Mi Kindernachmittag.
- Pro Sport TNT, Ludwigstr. 11, ✆ 74954
- Viele Pensionen und Hotels verleihen Räder. Infos erhalten Sie bei der Tourist-Information
- Mountainbikes: Hotel Tölzer Hof, ✆ 8060; Action & Funtours, Angerstr. 21, ✆ 796096, auch geführte Biketouren.

1160 wird Tölz als „Tollenz" urkundlich erwähnt. Seine Entstehung am rechten Isarufer verdankt die Stadt Bad Tölz dem Kreuzungspunkt der zwei wichtigsten Handelsstraßen des Mittelalters,

Einkaufsstraße in Bad Tölz

der Salzstraße und der Isar mit der Isarflößerei. Die Lage begünstigte die Entwicklung des Ortes zu einem der damals bedeutendsten Warenumschlagplätze Oberbayerns, zu dessen Zentrum die Marktstraße wurde. 1281 wurde Tölz bereits als „Markt" erwähnt. 1331 verlieh Kaiser Ludwig der Bayer die Marktprivilegien und das Bannrecht an Tölz. Erst 1906 wurde der Markt Tölz zur Stadt erhoben. Das wirtschaftliche Leben in Tölz blieb bis ins 19. Jahrhundert weiterhin von Handel und Handwerk bestimmt. Darunter finden sich die landestypischen Berufe der Flößer, Kalkbrenner, Köhler und Fischer. Die Tölzer Kistler entwickelten ihre berühmten Kunsttischlerarbeiten im 14./15. Jahrhundert. Bis ins 19. Jahrhundert hinein übten sie ihr weit über die Landesgrenzen hinaus geschätztes Handwerk aus.

Seit dem 17. Jahrhundert sorgte das zeitweise über 22 Brauereien zählende Braugewerbe für gewinnbringende Einnahmen. Die Tölzer Brauereien lieferten das Bier an die Klöster und Grafschaften der Umgebung, und seit dem 18. Jahrhundert auch große Mengen nach München.

Mit der Entdeckung der Jodquelle am Sauersberg im Jahre 1845 entstand am linken Isarufer der heutige Badeteil der Stadt Bad Tölz. Auf Initiative des Verlegers Karl Raphael Herder und des Tölzer Gerichtsarztes Dr. Gustav Höfler entwickelte sich ein bald beliebter Kurort. Von eleganten Villen und Kurgärten umgeben steht das von dem berühmten Baumeister Gabriel von Seidl (1848-1913) erbaute Kurhaus im Mittelpunkt. Mehr als 50 Jahre nach der Entdeckung der Jodquelle wurde dem Markt Tölz im Jahr 1899 die staatliche Auszeichnung „Bad" verliehen.

In Bad Tölz gibt es noch mehr zu entdecken. So zum Beispiel die reich verzierten Häuser mit den Lüftlmalereien. Die Lüftlmalerei stammt aus der Barock- und Rokokozeit. Der Ausdruck leitet sich weniger von der Malerei in „luftiger

Höhe", denn von dem Haus „Zum Lüftl" ab. Der Besitzer dieses Hauses, Franz Zwinck, gehörte im 18. Jahrhundert zu den bedeutendsten Lüftlmalern Bayerns.

Von Bad Tölz nach Gmund am Tegernsee — 20 km

Die **Badstraße** hinunter an der Sparkasse vorüber ~ der nächsten Vorfahrtsstraße folgen ~ über die **Isarbrücke**.

Tipp: Unterhalb der Isarbrücke erblicken Sie am rechten Ufer den Radweg entlang der Isar. Informationen zur Streckenbeschreibung finden Sie im ***bikeline*-Radtourenbuch Isar-Radweg.**

Nach der Brücke geradeaus in die **Marktstraße** ~ dann nach rechts in die **Klammer Gasse** abbiegen und dieser bis zum **Jungmayrplatz** folgen ~ dann durch die **Konradgasse** in die **Krankenhausstraße** ~ dieser geradeaus in die **Sonnleitenstraße** folgen und darauf geradeaus in den Fußweg ⚠ an dieser Stelle heißt es **Radfahrer absteigen** ~ an der Vorfahrtsstraße endet der kurze Fußweg ~ hier nach links auf die mäßig stark befahrene **Karwendelstraße** und unter der Brücke hindurch.

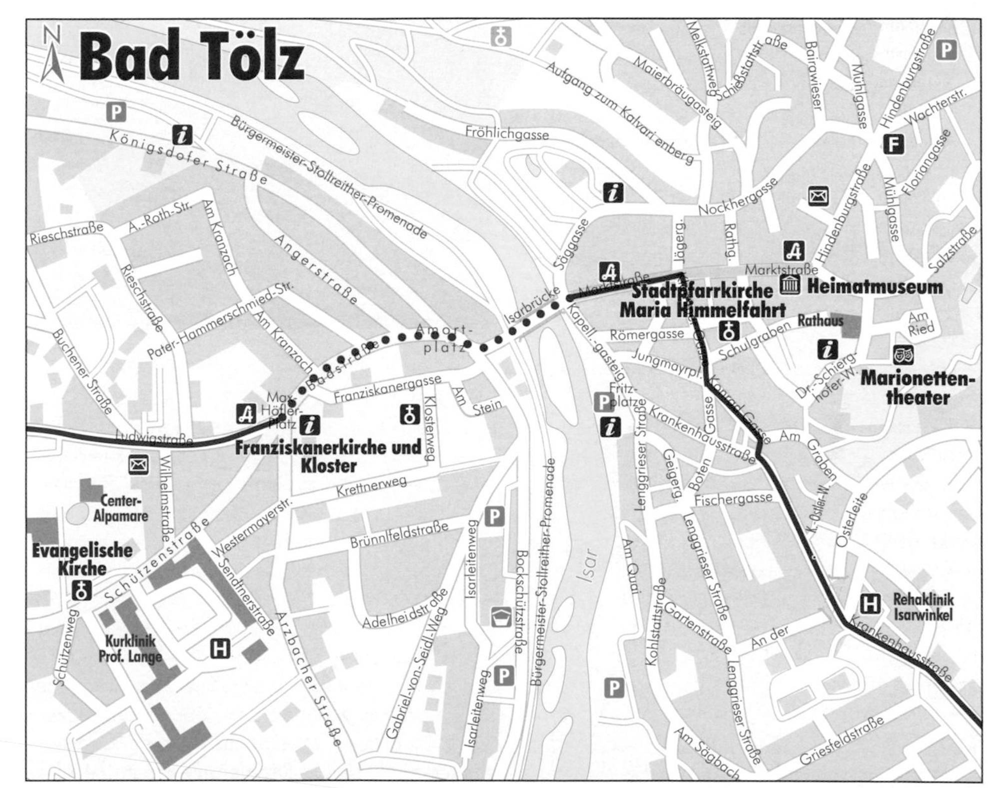

Bei der Ampel geradeaus und gleich darauf rechts in den **Zwieselweg** ~ durch die Wohnsiedlung ~ die Vorfahrtsstraße überqueren in **Zwieselweg/Braunecksstraße** ~ an der Post vorüber ~ rechts in die **Blombergstraße** ~ in einem Linksbogen in den Weg mit einer 1,5-Tonnen Gewichtsbeschränkung ~ über eine kleine Brücke ~ an der Vorfahrtsstraße weist das Radschild nach links ~ auf dem linksseitigen Radweg bis nach Gaißach.

Gaißach

PLZ: 83674; Vorwahl: 08041

i Gemeinde Gaißach, Bahnhofstr. 8, ✆ 8047-11, www.gaissach.de

Der Radweg führt nach links ~ in einem Rechtsbogen in den Ort ~ links in die Straße **Kranzer** Richtung Mühle ~ rechts am Restaurant vorüber ~ geradeaus bis nach Mühl.

Mühl – Gemeinde Gaißach

In Mühl unter der Eisenbahnbrücke hindurch ~ in einem Linksbogen an einer Arztpraxis vorüber ~ das Radschild weist rechts in die **Ostfeldstraße** ~ durch die Wohnsiedlung von Mühl ~ nach der großen Scheune links auf den geschotterten Weg mit einer 3,5-Tonnen Gewichtsbeschränkung, autofrei ~ auf dem unbefestigten Radweg

Gaißach

geradeaus ~ über eine kleine Brücke ~ zur Rechten zwei Holzhütten.

An einer weiteren Scheune vorüber ~ danach an der Gabelung rechts in den Landwirtschaftsweg ~ in Kurven weiter ~ an einer weiteren Scheune vorüber ~ an der darauffolgenden Gabelung rechts in den unbefestigten Weg ohne Grasstreifen ~ über den kleinen Bach ~ in einem starken Linksbogen an der Scheune vorüber ~ an der T-Kreuzung links in den unbefestigten Weg leicht bergauf ~ durch den Wald leicht bergab ~ in einem scharfen Linksbogen wieder vom Waldgebiet entfernen ~ über eine Brücke.

Tipp: Nach Marienstein geht es nun auf dem unbefestigten Weg stetig bergauf.

Dem unbefestigten Weg in einem scharfen Rechtsbogen folgen (Radschild vorhanden) ~ an einigen Bänken vorüber ~ an der Gabelung rechts, an der Brücke vorüber ~ durch den Wald immer geradeaus ~ an der Gabelung links ~ über eine Holzbrücke ~ rechter Hand der Bach **Gr. Gaißach** ~ am nächsten Abzweig rechts auf dem Hauptweg weiter ~ über eine große Holzbrücke ~ linker Hand der Bach Gr. Gaißach ~ am nächsten Abzweig dem Hauptweg nach links folgen ~ über eine weitere Holzbrücke.

Beim darauffolgenden Abzweig dem Weg nach links folgen ~ über eine Brücke ~ bergauf bis zur T-Kreuzung ~ hier nach rechts ~ der Weg führt jetzt leicht bergab ~ nach dem Wald geradeaus auf asphaltierter Straße.

Marienstein

Dem Straßenverlauf durch die Wohnsiedlung von Marienstein folgen ~ an der Zementfabrik vorüber ~ in Kurven weiter ~ in der starken Linkskurve rechts Richtung Golfplatz ~ an der Kirche vorüber ~ den Ort steil bergauf verlassen ~ am Golfplatz vorüber ~ schöner Ausblick auf den Golfplatz.

Dem asphaltierten Wegverlauf folgen ~ der Landwirtschaftsweg ist für ein kurzes Stück gepflastert ~ steil bergab ~ ⚠ Achtung flie-

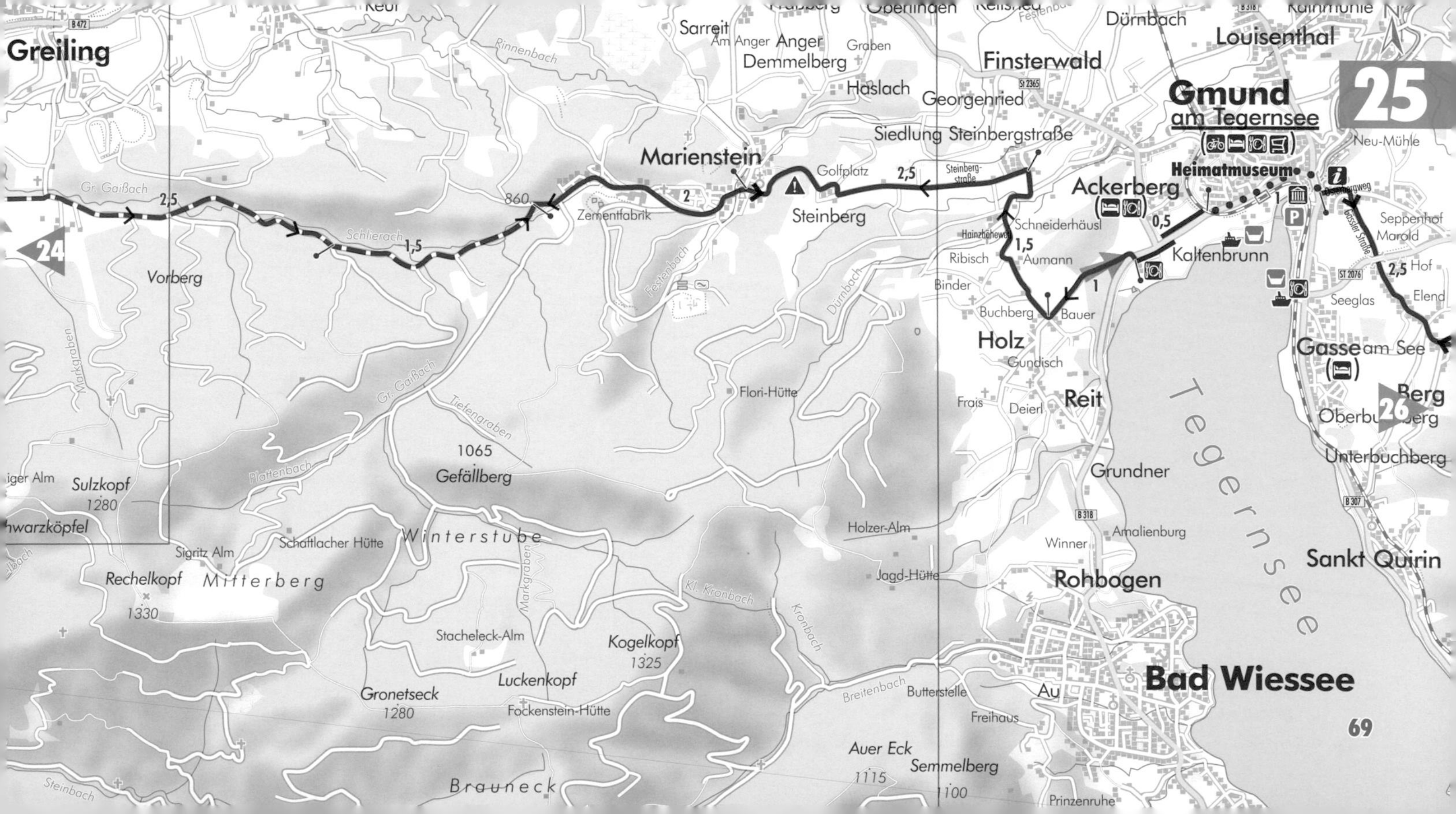

25
24
26
Greiling
Sarreit
Am Anger
Anger
Graben
Demmelberg
Haslach
Oberlinden
Dürnbach
Louisenthal
Finsterwald
Georgenried
Gmund
am Tegernsee
Siedlung Steinbergstraße
Neu-Mühle
Marienstein
Golfplatz
Steinbergstraße
Heimatmuseum
Ostinergweg
Gr. Gaißbach
860
Zementfabrik
Steinberg
Ackerberg
Seppenhof
Marold
Schneiderhäusl
Hainzhöheweg
Ribisch
Aumann
Kaltenbrunn
Gasslerstraße
Hof
Schlierach
Vorberg
Binder
Buchberg
Bauer
Seeglas
Elend
Festenbach
Dürnbach
Holz
Gundisch
Gasse
am See
Markgraben
Gr. Gaißbach
Flori-Hütte
Frais
Deierl
Reit
Berg
Oberbuchberg
Tiefengraben
Tegernsee
Unterbuchberg
1065
Gefällberg
Grundner
Sulzkopf
1280
Plattenbach
Schwarzköpfel
Sigritz Alm
Schaftlacher Hütte
Winterstube
Holzer-Alm
Amalienburg
Winner
Sankt Quirin
Rechelkopf
Mitterberg
Jagd-Hütte
Rohbogen
Kl. Kronbach
1330
Kronbach
Markgraben
Stacheleck-Alm
Kogelkopf
1325
Luckenkopf
Gronetseck
1280
Fockenstein-Hütte
Breitenbach
Butterstelle
Au
Bad Wiessee
Freihaus
Auer Eck
Semmelberg
1115
1100
Brauneck
Steinbach
Prinzenruhe
B 472
B 318
B 307
St 2365
ST 2076
2,5
1,5
2
2,5
0,5
1
1,5
1
2,5

gende Golfbälle, bitte Vorsicht! ⇝ quer durch den Golfplatz ⇝ am Ende des Golfplatzes wieder auf Asphalt ⇝ steil bergab ⇝ unter der Hochspannungsleitung hindurch ⇝ rechts ein Transformator.

Steinberg

Die **Steinbergstraße** entlang ⇝ dem Radschild nach rechts folgen ⇝ bei der T-Kreuzung nochmals rechts ⇝ an der kommenden Gabelung links in den **Hainznhöheweg** ⇝ über eine Brücke ⇝ an der nächsten Gabelung links und an der darauffolgenden Gabelung wieder links Richtung Kaltenbrunn ⇝ an der T-Kreuzung der B 318 links auf den rechtsseitigen Radweg ⇝ vom Radweg aus ein herrlicher Ausblick auf den **Tegernsee** ⇝ nach einigen hundert Metern wechselt der Radweg auf die linke Straßenseite der B 318.

Bei den Bahngleisen in Gmund am Tegernsee endet der Radweg ⇝ auf der mäßig stark befahrenen Straße geradeaus ⇝ an der Sparkasse vorüber leicht bergab ⇝ an der Ampelkreuzung nach rechts ⇝ in einem Rechtsbogen ·über die große Brücke nach Gmund am Tegernsee.

Gmund am Tegernsee

PLZ: 83703; Vorwahl: 08022

- **Tourist-Information,** Kirchenweg 6, ☎ 7505-27 od. ☎ 7505-35
- **Schifffahrt auf dem Tegernsee,** Seestr. 70, 83684 Tegernsee, ☎ 93311. **Rundfahrten über den Tegernsee** und Erlebnisfahrten zu besonderen Terminen.
- **Heimatmuseum-Jagerhaus Gmund,** Seestr. 2, ☎ 76884. Zu sehen sind Urfunde aus der Umgebung, die Jagerstube und eine eingerichtete Küche aus Großmutterszeiten, wechselnde Ausstellungen.
- **Kath. Pfarrkirche St. Ägidius,** Kirchenweg, ☎ 7339
- Entlang des **Seeuferpfades** erfahren Sie Wissenswertes über den Lebensraum Seeufer, das Brandungsufer und die unterschiedlichen geologischen Gesteine.
- Strandbad Kaltenbrunn, ☎ 7281; Strandbad Seeglas, ☎ 76129
- Guggenbichler, Münchener Str. 11, ☎ 7257

Seit 1975 gilt der Ort als staatlich anerkannter Erholungsort.

Mit seiner äußerst günstigen Lage am Tegernsee lockt Gmund immer wieder neue Besucher an. Ob man den Ausblick über den märchenhaften Tegernsee oder das einzigartige Panorama auf die Berge genießen möchte, Gmund bietet jedem ein einzigartiges Naturerlebnis. Auch Tradition, Kultur und Brauchtum spielen in Gmund am Tegernsee eine wichtige Rolle. Viele Vereine sind darum bemüht die Tradition und den Brauchtum des Ortes aufrechtzuerhalten.

Von Gmund am Tegernsee zum Königssee 180,5 km

In diesem letzten Abschnitt rücken die schneebedeckten Berge immer näher. Tiefblau glitzern Gebirgsseen wie der Schliersee, Zwiebelturmkirchen begleiten Ihren Weg und die schmucken bayerischen Städtchen Traunstein, Bad Reichenhall und Berchtesgaden laden mit historischen Altstädtchen und geraniengeschmückten Häusern zu einem Besuch ein. Danach radeln Sie weiter zum letzten großen Ziel Ihrer Radtour inmitten des Nationalparks „Berchtesgaden", zum bezaubernden Königssee.

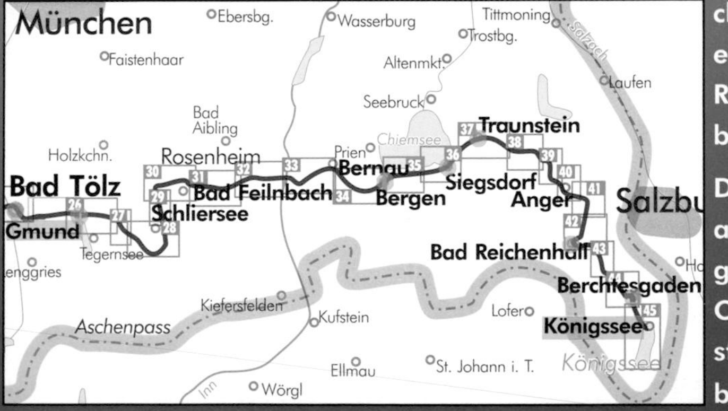

Die Strecke des letzten Abschnittes verläuft vorwiegend auf asphaltierten Landstraßen. Ab und zu gibt es starke Steigungen zu überwinden. Oftmals in der Nähe von größeren Orten und Städten bewegen Sie sich auf gut ausgebauten straßenbegleitenden Radwegen, nur selten benutzen Sie unbefestigte Wege.

Blick auf den Tegernsee

Gmund am Tegernsee

Von Gmund am Tegernsee nach Hausham 10,5 km

Nach der Brücke links in den **Osterbergweg** stark bergauf ~ an Kirche und Rathaus vorüber ~ eine Steigung von 18 Prozent ist zu überwinden ~ an der Gabelung beim Wegkreuz rechts in die **Gassler Straße** an das Ortsende ~ unter der Straßenbrücke hindurch ~ weiter geradeaus nach Gasse.

Gasse

Im Ort an einer Pension vorüber ~ am Ortsende von Gasse an der Gabelung links ~ Radschild vorhanden ~ steil bergab ~ an der Gabelung rechts Richtung Niemandsbichl und Ostin ~ leicht bergauf ~ am nächsten Abzweig geradeaus auf dem Hauptweg weiter ~ am Ort Ostin vorüber.

Ostin

An der T-Kreuzung rechts Richtung Angerlweber, Oed ~ über eine Brücke ~ durch den Wald ~ bei einigen Häusern auf unbefestigtem Radweg weiter.

Tipp: In Höhe von Unterschuß können Sie als Alternative zur Hauptroute auf die St 2076 ausweichen, wenn Sie das unbefestigte und recht steile Wegstück bis nach Hausham vermeiden möchten. Die St 2076 ist zwar etwas stärker befahren, die Fahrt auf Asphalt erleichter jedoch den Weg bis nach Hausham.

An der Wegkreuzung links Richtung Schliersee und Hausham in den Weg mit Grasmittelstreifen ~ der Weg wird etwas schmäler, ohne Grasmittelstreifen ~ weiter auf dem schmalen Pfad ~ an Bänken vorüber ~ in einem Rechtsbogen über eine schmale Holzbrücke und danach links ~ gleich darauf rechts in den gekiesten Landwirtschaftsweg ~ steil bergauf ~ an einigen Holzscheunen vorüber ~ an der Kreuzung über die asphaltierte Querstraße in den unbefestigten Weg mit Grasmittelstreifen ~ in einem starken Rechtsbogen an Höfen vorüber ~ der Weg geht in einen schmalen Pfad (Radweg) über ~ steil bergab geradeaus bis zur Asphaltstraße ~ hier im starken Rechtsbogen bergab ~ an einigen Holzscheunen vorüber.

Dem Straßenverlauf im Rechtsbogen in den Wald folgen ~ auf dem Radweg steil bergab ins Tal ~ an der Kreuzung geradeaus in den unbefestigten Weg ~ stark bergauf ~ am Ende des Radweges ein Holzzaun mit zwei Latten ~ an der Asphaltstraße rechts ~ bei der darauffolgenden Weggabelung links ~ an einer Kapelle vorüber ~ steil bergab ~ an der T-Kreuzung links in die **Nagelbachstraße** ~ an der nächsten T-Kreuzung rechts auf den Radweg nach Hausham.

Hausham

PLZ: 83734; Vorwahl: 08026

Gemeindeverwaltung Hausham, Rathausstr. 2, ✆ 3909-0

Bergbaumuseum Hausham, im Kellergeschoss des Rathauses, ÖZ: 1. Sa im Monat 14-16 Uhr. Die Arbeitsweise der Bergleute sowie Fossilien, die während des 106 Jahre andauernden Bergwerksbetriebes zum Vorschein kamen werden gezeigt. Weitere Infos erhalten Sie bei der Gemeinde Hausham, ✆ 39090 od. beim Interessenkreis Bergbaumuseum Hausham e.V., Stadelbergstr. 9, 83714 Miesbach.

26
Keilsried
Dürnbach
Rainmühle
Mühltal
Eben
Wackersberg
Waldhof
Hausruck
Bodenrain
Mösl
Tiefenbach
Finsterwald
Louisenthal
Schweinberg
Fehn
Haslrain
Gmund
am Tegernsee
Heimatmuseum
Jäger auf der Ebene
Hinter-Eck
Mayer in der Eck
Schafstatt
Vorder-Eck
Ed
Freudenreich
Kasten
Hausham
Bürstling
Schwärzenbach
Gschwendt
Steinbergstraße
Ackerberg
Osterberg
Antenloh
Oberschuß
Eckart
Loch
Rain
Schneiderhäusl
Kaltenbrunn
Marold
Seppenhof
Ostin
Unterschuß
Moosrain
Abwinkl
Ribisch
Aumann
Hof
Angerlweber
Wallenburger Kogel
935
Binder
Buchberg
Bauer
Seeglas
Elend
Niemandsbichl
Oed
Holz
Gundisch
Reit
Gasse am See
Sternecker
Berg
Huberspitz
1050
Gaßler Berg
1180
Oeder Kogel
1135
Schlußkogel
1135
Oberbuchberg
Unterbuchberg
Grundner
Jagd-Hütte
Rainer Berg
1170
Auer Berg
Tegernsee
Neureut
Amalienburg
Winner
Sankt Quirin
Oslinger Berg
Gindel-Alm
Gindelalmschneid
1335
Rohbogen
Dienst-Hütte
Au
Freihaus
Bad Wiessee
Semmelberg
Graben
Lieberhof
Gschwand
Postner-Hütte
Bergwacht-Hütte
Kreuzberg-Alm
Jagd-Hütte
Kreuzbergköpfel
25
27

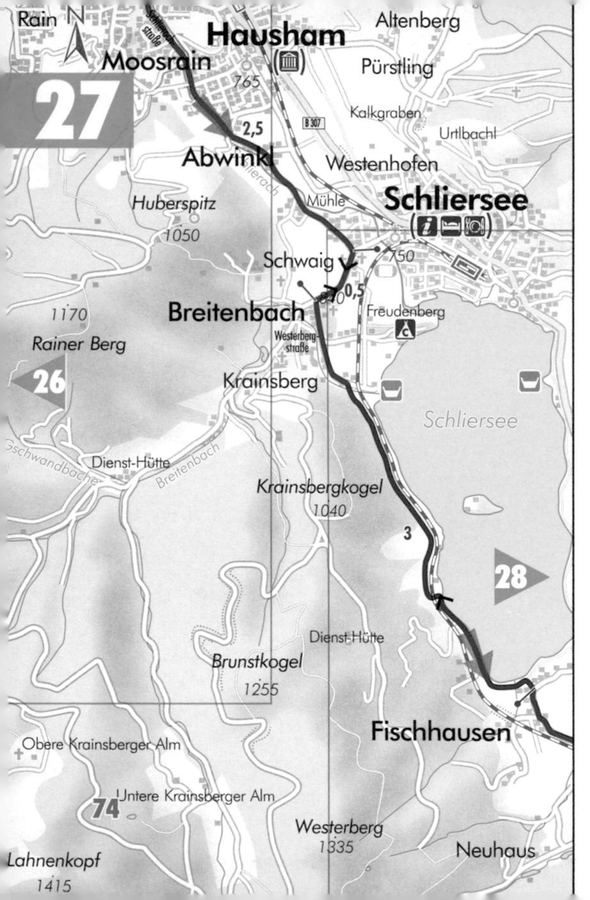

Von Hausham nach Fischbachau 16 km

Bei der Bäckerei in Hausham endet der Radweg ~ ein kurzes Stück auf mäßig stark befahrener Straße ~ am Schlemmerstüberl vorüber ~ rechts in die **Schlierachstraße**.

An der Wohnsiedlung von Hausham vorüber ~ zur Linken ein kleiner Bach ~ über eine Brücke ~ an der Gabelung im Ort rechts ~ nun rechts der Bach ~ weiter geradeaus Richtung Schliersee ~ am Abzweig der **Schlierachstraße** rechts folgen.

Am Sägewerk links vorüber ~ über eine Brücke ~ an der Vorfahrtsstraße rechts und leicht bergauf ~ an alten Höfen vorüber ~ zur Linken ein schöner Ausblick auf die Marktgemeinde Schliersee.

Schliersee

PLZ: 83727; Vorwahl: 08026

Gäste-Information Schliersee, Bahnhofstr. 11a, ✆ 60650

Leicht bergab ~ an der Gabelung in einem Linksbogen in die **Westerbergstraße** ~ am Heizöl Färber und am Holzsägewerk links vorüber ~ vor den Bahngleisen rechts über die Brücke auf den Radweg ~ zur Linken die Gleise und der **Schliersee** ~ über eine Brücke ~ an ein paar Bänken vorüber ~ rechter Hand der Wald.

Im Linksbogen über die Gleise (Schild vorhanden) ~ danach bergab ~ in einem Rechtsbogen über die Brücke ~ am Ufer des Schliersees entlang ~ in einem scharfen Rechtsbogen vom Ufer des Schliersee abwenden ~ der Radweg endet hier.

Tipp: Wenn Sie weiter geradeaus fahren können Sie auf eigene Faust eine Rundtour um den Schliersee machen.

An der nächsten Gabelung nach rechts.

Fischhausen

In Fischhausen am Kinderspielplatz vorüber ~ bei der darauffolgenden Gabelung dem Radschild nach links folgen ~ in einem starken Rechtsbogen unter der Eisenbahnbrücke hindurch ~ gleich danach links ~ auf Asphalt bis zur Vorfahrtsstraße ~ hier rechts auf den rechtsseitigen Radweg bis nach Neuhaus.

Schliersee
Oberleiten
Rohnberg
Breitenberg
Killer-Alm
Sonnenholz
29
Stög
Mühlkreit
2,5
Winkl
Buchberg
Durhamer Berg
.1030
Kißkopf
28
1320.
Steingrabner-Alm
Schwaiger-Alm
Achatswies
Faistenau
Leitzach
Marbach
Bucher-Alm
Jagd-Hütte
Breitenstein
Fischbachau
Badstraße
Kreit
Marbacher Berg
Jagd-Hütte
Leitner Graben
Hochgraben
Dienst-Hütte
Lechnerhorn
Ruine Hohenwaldeck
27
Trach
1,5
Lehenmühle
Birkenstein
Schweinsberg
1350.
Lehenpoint-Alm
Hirschgeröhrkopf
1270.
Auracher Köpferl
1,5
Sandbichl
Wolfsee
Bichl
Kessel-Alm
Kegelspitz
Tracherberg
Mühlau
Kothgraben
Koth-Alm
Fischhausen
Kellnerberg
Stauden
750
.935
Auf der Wand
1000.
Rehbichl
Durhamer-Alm
1450.
1
St. Leonhard
Probstalm
1
Hammer
Kirchwand
Aurach
Rieder-Alm
Krugalm
Josefsthaler Straße
2
Aurach
Hagnberg
Dienst-Hütte
Spitzingscheibe
1270.
Neuhaus
Breitenstein-straße
Hachelbach
1
Sacher
2
Daxstein
Hagnberg
Riedler
Dorfberg
Talwand
Riedler Berg
Mühlbach
790
Dürnbachwald
Heißenbauer
Heißenberg
Osterhofener Berg
Josefsthal
Aurachtal
75
Geitau
Noidach
Nagelspitz
1555.
Geitauer Berg
Niederhofen
Ankel-Alm
Heißenplatte
Gödenbauer-Alm
Osterhofen

Blick auf Schliersee

Neuhaus

In Neuhaus rechts in die **Josefsthaler Straße** und gleich darauf links ~ über die neu gebaute Brücke ~ an der Kirche links vorüber ~ nach links in die **Breitensteinstraße** ~ auf der Breitensteinstraße durch die Wohnsiedlung von Neuhaus ~ an der T-Kreuzung links und über die Brücke.

An einem Sportplatz rechts vorüber ans Ortsende ~ leicht bergab ~ an einem großen Parkplatz vorüber ~ an der Vorfahrtsstraße geradeaus in den unbefestigten Radweg ~ durchs Wasserschutzgebiet bis nach Aurach.

Aurach

Im Ort am Gasthof vorüber ~ an der Vorfahrtsstraße rechts ~ die Kapelle passieren ~ die Asphaltstraße überqueren ~ dem linksseitigen Radweg folgen ~ dieser wechselt nach einem kurzen Stück auf die rechte Straßenseite ~ über die Bahngleise bis nach Stauden.

Stauden

Dem Straßenverlauf durch den Ort folgen ~ am Ortsende links abbiegen ~ dann geradeaus über **Mühlau** und **Trach** ~ dann rechts abbiegen über die **Leitzachbrücke** nach Fischbachau ~ nach links auf die mässig stark befahrene Straße.

Fischbachau

PLZ: 83730; Vorwahl: 08028

Tourismusbüro Fischbachau, Kirchplatz, ✆ 876

Von Fischbachau nach Sonnenreuth 9,5 km

Nach der Kirche an der Ampelkreuzung links in die **Badstraße** ~ zur Linken der Sportplatz ~ weiter geradeaus Richtung Elbach (Radschild vorhanden) ~ an der darauffolgenden Kreuzung wieder geradeaus ~ vor Stög stark bergauf.

Stög

An der Gabelung rechts ~ dann an einer Pension vorüber ~ an der darauffolgenden Kreuzung geradeaus nach Lehen.

Lehen

Bei den ersten Häusern von Lehen an der Gabelung rechts (Radschild ist vorhanden) ~ weiter geradeaus ~ aus der Ferne erblickt man bereits die Kirche von Elbach.

Elbach

Im Ort linker Hand die Kirche ~ an der Vorfahrtsstraße links ~ dann an einem Gasthof vorüber und dem Straßenverlauf in einem Linksbogen folgen ~ über eine Brücke mit einer 16-Tonnen Beschränkung ~ weiter geradeaus bis nach Dürnbach.

Dürnbach

Durch Dürnbach auf dem rechtsseitigen Radweg ~ im Ort an der Gabelung rechts in die **Schwarzenbergstraße** (Radschild vorhanden) ~ geradeaus bis nach Greisbach ~ nach Dürnbach endet der Radweg.

Greisbach

Im Ort an einigen Häusern, Höfen und einem Gasthof vorüber.

Schwarzenberg

An der Gabelung weist das Radschild links ~ an der darauffolgenden Gabelung dem Asphaltband nach links folgen ~ am Haus mit der Nummer 41 rechts vorüber.

Panoramablick auf den Schliersee

Über die Kreuzung geradeaus (Radschild vorhanden) ~ wellig dahin Richtung Graben und Effenstätt ~ an einer kleinen Holzhütte links vorüber ~ über die nächste Kreuzung wieder geradeaus ~ durch den Wald nach Graben.

Graben

Auf Asphalt durch die kleine Siedlung ~ am Ortsende leicht bergab und wieder bergauf ~ an einer kleinen Kapelle vorüber ~ geradeaus über die Kreuzung ~ links am Ort Effenstätt vorüber ~ in Kurven bis nach Sonnenreuth ~ davor leicht bergauf.

Sonnenreuth

Von Sonnenreuth nach Altenmarkt 24 km

In Sonnenreuth an der T-Kreuzung rechts ~ in einem Rechtsbogen steil bergauf ~ nach dem Ort an der Gabelung links ~ bis nach Niklasreuth leicht bergab.

Niklasreuth

Im Ort links in die **Sonnreuther Straße** ~ gleich darauf rechts ~ rechter Hand die Kirche und der Friedhof ~ den Ort Richtung Au verlassen ~ abwechselnd bergauf und bergab ~ weiter geradeaus auf der Straße mit starkem Gefälle von 15 Prozent ~ im Rechtsbogen in den Wald ~ leicht bergauf zum nächsten Ort.

Unterkretzach

Nach Unterkretzach wieder steil bergab.

Karrenhub

Da es recht zügig bergab geht, auf die Gabelung vor einem alten Hof achten ~ hier geht es nun nach rechts ab ~ rechts liegt eine kleine Kapelle ~ geradeaus in den unbefestigten Weg ~ an der nächsten Kreuzung geradeaus auf Asphalt.

Hummelhausen

Durch die kleine Siedlung ~ an der T-Kreuzung nach dem Ort rechts am Haus Nummer 3 vorüber.

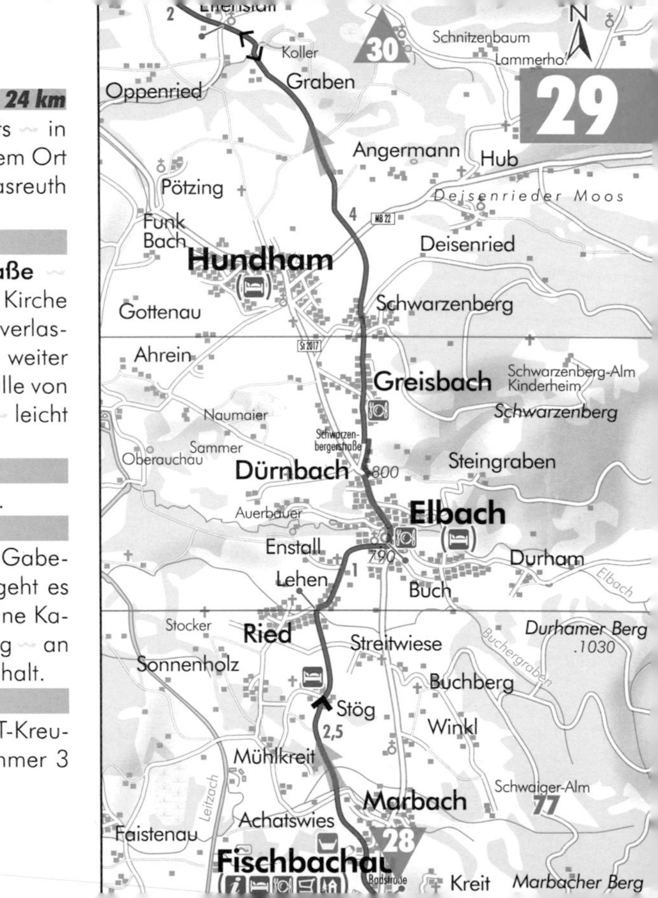

Brettschleipfen

Bei der nächsten T-Kreuzung weist das Radschild links ~ an der Gabelung wieder links und steil bergab.

Wilharting

Dem Straßenverlauf folgen und somit eher links halten ~ an einigen Häusern vorüber.

Tipp: Wenn Sie sich an der Vorfahrtsstraße in Gottschalling nach links wenden gelangen Sie in den Ort Au.

Au

PLZ: 83075; Vorwahl: 08064

- **Kur- und Gästeinformation Bad Feilnbach**, Bahnhofstr. 5, ✆ 08066/ 1444, www.bad-feilnbach.de
- **St.-Martin-Pfarrkirche**
- **Schwimmbad**, Kreuthweg 31, ✆ 1220
- Zweirad Antretter, Hauptstr. 17, ✆ 9313, auch

Gottschalling

An der Vorfahrtsstraße weist das Radschild rechts ~ gleich darauf links Richtung Schwimmbad und Au ~ dem Asphaltband folgen ~ an der Gabelung vor dem Sportplatz rechts ~ an einigen alten Holzhütten vorüber ~ zur Linken

eine Brücke ~ geradeaus in den Landwirtschaftsweg ~ bei der Gabelung rechts.

An einigen Sitzbänken vorüber ~ aus der Ferne erblickt man zur Rechten die Kirche von Lippertskirchen ~ durch den Wald ~ links der Kaltenbach ~ an der Gabelung dem Asphaltband folgen ~ am Wertstoffhof vorüber ~ vom **Friedrich-Dittes-Weg** an der Vorfahrtsstraße links über die Brücke.

Tipp: Wenn Sie an der Vorfahrtsstraße geradeaus fahren gelangen Sie in den Ort Bad Feilnbach. Die Hauptroute führt allerdings nur links am Ort vorüber.

Bad Feilnbach

PLZ: 83075; Vorwahl: 08066

- **Kur- und Gästeinformation**, Bahnhofstr. 5, ✆ 1444, www.bad-feilnbach.de
- **Kapelle „Zum Guten Hirten"**, Fulinpachstr. 11; Infos beim Pfarramt, ✆ 8199
- **Pfarrkirche Herz Jesu**, Kufsteiner Str. 42; Infos beim Pfarramt, ✆ 250
- **Wendelstein-Ringlinie**, Infos ✆ 906333. Mit dem Bus einmal den Berg umrunden.
- **geführte Rad- und Wandertouren**; Infos bei der Kur- und Gästeinformation.
- **Kutschenfahrten**: Grasl, ✆ 401; Kriechbaumer, ✆ 674
- verschiedene **Naturlehrpfade**; Infos bei der Kur- und Gästeinformation.
- **spezielle Angebote für Radfahrer**; Infos bei der Kur- und Gästeinformation.
- **spezielle Radfreundliche Betriebe**; Infos bei der Kur- und Gästeinformation.
- **Schwimmbad**, Bahnhofstr. 18, ✆ 906578
- VdK Kurklinik Schwarzenberg, ✆ 8890
- DB-Verkaufsstelle, Bahnhofstr. 9, ✆ 906333; Jakob Grasl, Münchener Str. 20, ✆ 401; Pede Pedalo, Wendelsteinstr. 56, ✆ 1518, auch

Bad Feilnbach ist in einer wunderschönen Kulturlandschaft gelegen – umgeben von landwirtschaftlichen Flächen und Streuobstwiesen. Die Apfelblüte im Frühjahr und der Apfelmarkt

30
Torfwerk
Feilnbach
Kleinhub
Hatzl
Grundbach
Hoiß
Weihermann
Kemathen
Grub
Bichl
Pfaffenberg
Eckersberg
Unterlohe
Hoferalm
Eyrain
Köckergraben
Aich
Steinreb
Berghalde
Unterbrennrain
Grund
Kalten
Köck
Achthal
Au
Naturschutzgebiet
Weitmoos
Abgebrannte Filze
Unterschönau
Großschönau
Starzberg
Aschbach
Heißkistler
Lengfeld
Paulreuth
Hinterholz
Furt
Wieser
Briefer
Loder
Unterkretzach
Karrenhub
Hummelhausen
Brettschleipfen
Gottschalling
Reithof
Kaltenbach
Wasserbächlein
Gernbach
Offenstätte
Berghausen
Hofreuth
Sonnreuther Straße
Riedl
Trogen
Niklasreuth
Wilharting
Mooslindl
Moosmühle
Lippertskirchen
Windwart
Harraß
Schlosser
Westner
Hammerer
Rast-Kapelle
Friedrich-Dittes-Weg
Granzer
Rank
Großhalmannseck
Kuhberg
Brainpold
Wiedmann
Sonnenreuth
Großkirchberg
Kleinhalmannseck
Auerberg
Schnellsried
Engelsried
Gunzlloh
Bichl
Bad Feilnbach
31
Ehgarten
Deining
Fülling
Frauenried
Grünberg
Rettenbach
Failenberg
Schönberger
Gasteig
Untergrünberg
Holz
Engelsberg
Wiechs
Effenstätt
Vorderauerberg
Oeder
Dürreneck
Unterschönberg
Aigenthal
Tiefenthal
Uslau
Oberschönberg
Scnitzenbaum
Koller
Schneeberg
Gerstenbrand
Pfarrkirche Herz Jesu
Wörnsmühl
Gern
Unteröd
Graben
Aich
Lammerhof
Brandstatt
Oppenried
Wiedenhof
Hub
Roßbrück
Wetzelsberg
Hof
Hausstatt
Angermann
Thalhäusler
Bindham
Drachenthal
Pötzing
Jäger-Alm
Schreiern
Oed
Oberbindham
Altofing
Hundham
29
Feilnbacher Berg
Egart
Grabenau
Höh
Trealeralm
Bergwacht-Hütte

im Herbst gehören zu den Höhenpunkten. Zudem ist Bad Feilnbach mit einem milden Klima gesegnet.

Deshalb wird das Moorheilbad auch gern als „bayerisches Meran" bezeichnet. Erstmalig erwähnt wurde Feilnbach, das 1973 zum „Bad" ernannt wurde, im Jahre 980 als „Fulinpah", was so viel wie „fauler Bach" bedeutet und einen langsamen und träge dahinfließenden Bach bezeichnet.

Für die Hauptroute unmittelbar nach der Brücke wieder links in den **Waldweg** ~ gleich darauf rechts ~ am Tennisplatz rechts vorüber ~ an der Vorfahrtsstraße weist das Radschild geradeaus in den unbefestigten Weg ~ vor der Holzhütte rechts Richtung Moosmühle.

Über eine kleine Brücke ~ dem unbefestigten Hauptweg in Kurven folgen ~ am Tennisplatz und der Moosmühle vorüber ~ dann an der T-Kreuzung rechts auf Asphalt ~ an der darauffolgenden Kreuzung links ~ in einem scharfen Rechtsbogen in den nächsten Ort.

Wiechs

Im Ort an einigen Höfen vorüber ~ an der Kreuzung links ~ zur Linken eine Kirche ~ an der T-Kreuzung rechts Richtung Kirchdorf ~

Blick auf Litzeldorf

bei der ersten Gelegenheit links ~ über die Kreuzung geradeaus.

An einer alten Scheune vorüber ~ danach an der T-Kreuzung links ~ gleich darauf rechts (Radschild vorhanden) ~ durch den Wald ~ an der nächsten T-Kreuzung rechts.

Kleinholzhausen

Über eine Brücke ~ bei der Gabelung weist das Radschild nach links ~ an einem großen Hof vorüber ~ in einem starken Rechtsbogen Richtung Kirchdorf ~ von der **Dorfstraße** an der T-Kreuzung links Richtung Großholzhausen ~ an der Kreuzung links nach Spöck.

Spöck

Bei Spöck an der Vorfahrtsstraße rechts ~ bei der ersten Gelegenheit links Richtung Kirchdorf ~ dem Straßenverlauf in einem starken Rechtsbogen folgen ~ in Kurven dahin ~ ein kurzes Stück durch den Wald ~ über die Autobahnbrücke ~ danach weiter geradeaus auf der **Spöckerstraße** ~ nach rechts über eine Holzbrücke Richtung Kirchdorf auf dem **Kapellenweg** ~ über die Kreuzung geradeaus ~ unter der Eisenbahnbrücke hindurch nach Kirchdorf.

Kirchdorf

An der Gabelung bei der Kirche links ~ gleich darauf an der Vorfahrtsstraße nochmals links ~ an einem Café rechts vorüber ~ nach zirka 200 Metern rechts Richtung Neubeuern auf die mäßig stark befahrene Straße (Radschild vorhanden).

Bei den letzten Häusern von Kirchdorf zur Linken ein straßenbegleitender Radweg ~ über die Brücke des Inns ~ danach ein Stück auf dem Radstreifen ~ auf dem linksseitigen Radweg bis nach Altenmarkt.

Tipp: Von der Innbrücke erblicken Sie den Radweg am Ufer des Inns. Wenn Sie sich für diesen Radweg interessieren, steht Ihnen das ***bikeline*-Radtourenbuch Inn-Radweg 2 (Von Innsbruck nach Passau)** zur Verfügung.

Abgebrannte Filze
Hochrunstfilze
Redenfelden
Moos
Staudach
Winkl
Anger
31
Nicklheim
Tännelholz
Raubling
Inn-Radweg
Neuwöhr
Kollerfilze
Moosmühle
Altmoos
Altenmarkt
Fröschenthal
32
Heft
Oberer Tännelbach
Kirchdorf
Wendelsteinstraße
Langweid
1,5
Rohretfilze
Spöckerstraße
Kapellenweg
Thalreit
Hepfengraben
Altenbeuren
Schloss Neubeuern
Steinbersfilze
Wiechs
Obermühle
Gasteig
Neubeuern
Spöck
30
Blodermühle
Kleinholzhausen
Reischenhart
Holzham
Freibichl
485
Aich
Huben
Langweid
Dorfstraße
Mooshäusl
Sollach
Taigscheid
Auenhof
Schlecht
Nockl
Großholzhausen
Derndorf
Steinbruck
Kutterling
Inn-Radweg
Au
Steinberg
Gern
Wasserleite
Pösnach
730
Litzldorf
Steinberg
Noppental
Oberulpoint
Unterulpoint
Abdeckerfilze
Gmain
Sonnenholz
Schneebichl
Preisenberg
Brandfilze
Fernöd
Niederthann
Zain
Schneiderried
Schnepfenluck
Steg
Breiten
Oberthann
Wiesenhausen
Guggenau
Lieln
Mooseck
Schwarzlack
Wallfahrtskirche Maria
Eiblwies
Seilenau
Hohe Leite
A 93
B 15
Inn

Altenmarkt

Von Altenmarkt nach Aschau 18,5 km

In einem scharfen Rechtsbogen vom Radweg nach links in die **Mitterstraße** ~ gleich darauf rechts in die **Wendelsteinstraße** ~ von der Wendelsteinstraße nach rechts ~ an der nächsten Gabelung links in die **Auerstraße** und an der Ampelkreuzung geradeaus ~ am Einkaufsmarkt Spar vorüber ~ dann an der Vorfahrtsstraße rechts in die **Dorfstraße** ~ leicht bergauf ~ bei der Gabelung links Richtung **Pinswang**.

Tipp: Wenn Sie sich an dieser Gabelung jedoch rechts halten gelangen Sie direkt nach Neubeuern.

Neubeuern

PLZ: 83115; Vorwahl: 08035

Verkehrsamt Neubeuern, Marktplatz 4, ✆ 2165

Schloss Neubeuern. Erbaut 1150 und hoch über dem Ort gelegen.

Gekreuzte Schiffshaken bilden das Wappen von Neubeuern, sie erinnern an die Vergangenheit und das einst wichtigste Gewerbe des Ortes. Man sieht in der Kirche, im Wirtshaus, an den Hausfronten immer wieder die Bilder der einstigen Innschifffahrt.

Obwohl der Inn heute nur noch bei Hochwasser, wenn seine Fluten immer noch bis

nahe an den Burgberg herankommen, seine frühere existentielle Bedeutung wiedererlangt, übte hier noch vor einigen Jahren der letzte Schiffbaumeister am Inn sein Handwerk aus. Er baute, meistens nicht mehr für den Inn bestimmt, die berühmt gewordenen „Neubeurer Gamsen". Jene Kleinschiffe, mit denen man im Schiffszug einst den Inn und die Donau bis weit „ins Ungarland" hinunter befahren hat.

Von der Schlossterrasse reicht der Blick reicht am Alpenrand das Flusstal hinauf, bis in die Firnregion des Zentralmassivs. Im Westen ragt der Wendelstein auf, Eckpfeiler und mit 1838 Metern höchster Berg des bayerischen Inntals.

Unter der Burg liegt, zwischen zwei Toren, der Innere Markt. Er strahlt mit seinen schmucken kleinen Häusern, dem Floriani-Brunnen und den alten Gastwirtschaften eine idyllischen Atmosphäre aus. Dazu trägt sicherlich auch bei, dass der Durchzugsverkehr weit unten in der Ebene verläuft.

An einem Hof vorüber ~ der Straße **Am Bürgel** in einem Linksbogen Richtung Pinswang folgen ~ durch den Wald.

Pinswang

In einem Linksbogen in den Ort ~ an einigen Höfen vorüber ~ in einer Linkskurve den kleinen Ort verlassen ~ an einem Hof vorüber ~ an der ersten Kreuzung links und über die nächste Kreuzung geradeaus.

Rohrdorf

Entlang der **Oberen Dorfstraße** durch den Ort ~ rechts in die **Bahnhofstraße** ~ an einer Pension vorüber ~ über eine Brücke und die Bahngleise ~ danach rechts in die **Urbanstraße** ~ an einem Getränkemarkt vorüber ~ über den Parkplatz geradeaus in den asphaltierten Rad- und Fußweg ~ abschnittsweise durch den Wald bis zur Bundesstraße ~ der Radweg verläuft links der Hauptstraße ~ vor der Bushütte wechselt der Radweg auf die

32
Immelberg
Esbaum
Tiefenthal
Spreng
Aichen
Patting
Kohlstatt
Kohlstattberg
Niesberg
Rohrdorfer Filze
Lauterbach
Thalham
Hetzenbichl
Baunigl
Stockach
Stelzenberg
Osterkam
Höhenmoos
Schaurain
Samerberg
Riedlach
Laiming
Ginnerting
Frasdorf
Gmein
Haslach
Röcka
Stötten
Oberapfelkam
Acherting
Wessen
2,5
Westerndorfer Straße
Josef-Pertl-Weg
1,5
Guggenbichl
Sandgrub
Pfann
Westerndorf
Winkl
Rohrdorf
Bahnhofstraße
Urbanstraße
Geiging
Unterapfelkam
Achenmühle
A 8
Daxa
Walkerting
Winkling
Kaltenbrunn
1
Obere Dorfstraße
Eßbaum
2
Thal
33
2,5
Wolfspoint
2
Holling
Ranhartsteten
Hausstätt
Ruckerting
Ebnat
Sinning
Entbuch
Ziehen
Speckbach
Graben
Gasbichl
Mühlberg
1,5
Thalmann
Leitner
Fading
Taffenreuth
Wildenried
Mitterbichl
Sagberg
31
Kirchberg
545
Stüblach
Eiding
Untereck
Egernbach
Anger
Kranzl
Pinswang
Heft
1,5
Lues
Soilach
Samerberg
Tauern
angweid
Am Bürgel
Saxenkam
Laberg
Obereck
Wiedholz
Wenk
Marchwies
Törwang
Ried
tenbeuren
Althaus
Lochen
Hinterhör
Wieslering
Weickersing
Geisenkam
Zellboden
eubeuern
Grainbach
Hartbichl
Marchwiesalm
Steinkirchen
Schwarzenberg
1135
83
Freibichl
Samerberg
Lochenalm
Winterstubn
Holzham
Taxa
Dandlberg
Siegharting
Bogenhausen
Sonnbach
Kräutern

Kirche St. Florian – Frasdorf

rechte Straßenseite ~ weiter Richtung Frasdorf ~ über eine Brücke in den nächsten Ort.

Achenmühle

Ein Radschild weist geradeaus den Weg ~ nach einer starken Linkskurve endet der Radweg kurzzeitig ~ nach rechts auf die Straße (Schild vorhanden) ~ am Holzbau links vorüber ~ geradeaus wieder auf einen asphaltierten Radweg und somit ans Ortsende ~ an der Vorfahrtsstraße rechts auf den linksseitigen Radweg nach Frasdorf.

Frasdorf

PLZ: 83112; Vorwahl: 08052

Tourist-Information, Schulstr. 7, ✆ 179625

Höhlen-Museum, Schulstr. 7, ✆ 179625, ÖZ: Juli-Aug., Do 18-20 Uhr u. So 16-18 Uhr, Jan.-Juni u. Sept.-Dez. am letzten So. des Monats 16-18 Uhr, und nach Vereinbarung. Die Geschichte des Museums geht auf eine Ausstellung „Aus Bayerns Höhlen" von 1978 bis 1980 zurück. In einer nachgebildeten Höhle kann man neben Tropfsteinen auch andere Höhlenfunde aus der Schlüssellochhöhle sehen. Das spektakulärste Stück im Museum ist der circa 11 000 Jahre alte Schädel eines Braunbären, der 1933 gefunden wurde.

Pfarrkirche mit Sonnenuhr

Wahlfahrtskirche St. Florian, ÖZ: Mai–Sept., So 14-17 Uhr, ✆ 2452. Die Kirche wurde in der Zeit von 1490 bis 1494 im Stil der Gotik erbaut. 1764 wurde die Kirche barockisiert, 1853 wurde sie schließlich regotisiert. Heute sind aus der Entstehungszeit der Kirche noch zwei Altäre erhalten, der Floriansaltar und der Wolfgangsaltar.

Schloss Wildenwart. Das vierflügelige Schloss stammt aus dem 16. Jh. Über dem Eingangstor befindet sich das Wappen der Herzöge von Modena. Leider kann man das Schloss nicht besichtigen.

Ausblick über den **Chiemgau** in Greimelberg.

kostenloses **Freibad** in Kaltenbrunn, geöffnet nur im Sommer.

Der kleine Ort Frasdorf liegt in einem ländlichen Idyll zu Füßen der Chiemgauer Berge. Hier gibt es viel Ruhe und Beschaulichkeit. Von Frasdorf bietet sich ein Ausflug zur St.Florians Kirche (Anfang 15. Jh. erbaut) in Greimelberg an. Von Juni bis August ist die Kirche nachmittags geöffnet und kann besichtigt werden. Die

Ortsansicht von Frasdorf

Anfang des 15. Jahrhundert erbaute Kirche besitzt einen spätgotischen Flügelaltar, der zu den bedeutendsten Altären in Oberbayern gehört. Sehenswert ist auch die barocke Floriansfigur, die der Schule des Münchener Hofbildbauers Baptist Straub zugeordnet wird. Der Weg hinauf zur Kirche wird zudem mit einem der schönsten Ausblicke über den Chiemgau belohnt.

Bei den ersten Häusern endet der Radweg ~ rechts in die **Westerndorferstraße** ~ an der Metzgerei vorüber ~ von der Westerndorferstraße links in die gleichnamige Straße ~ linker Hand liegt eine Tierarztpraxis ~ geradeaus in den **Josef-Pertl-Weg** ~ zur Linken die Kirche von Frasdorf ~ geradeaus in den unbefestigten Weg ~ an einer Holzhütte vorüber ~ an der

Blick auf Schloss Hohenaschau – Aschau

T-Kreuzung rechts auf Asphalt ~ gleich darauf links in den **Wiesenweg** ~ an der Gabelung rechts und dem Haus mit der Nummer sechs vorüber.

An der Vorfahrtsstraße rechts auf den rechtsseitigen Rad- und Fußweg ~ in einem Linksbogen unter der Straßenbrücke hindurch ~ danach im Rechtsbogen auf dem linksseitigen Radweg weiter bis nach Aschau.

Aschau

PLZ: 83229; Vorwahl: 08052

- **Tourist-Info**, Kampenwandstr. 38, ✆ 904937
- **Prientalmuseum**, ✆ 904937, ÖZ siehe Schlossführungszeiten. Es wird die ehemalige Herrschaft Hohenaschau dargestellt und die Zeit der Eisenindustrie im Priental dokumentiert.
- **Galerie für Kunst und Kultur**, An der Festhalle 4, ✆ 957754, ÖZ: Fr/Sa 16-19 Uhr, So 10-12 u. 16-19 Uhr.
- **Pfarrkirche „Zur Darstellung des Herrn"**, doppeltürmige Kirche (1752-1753), erstmals urkundlich erwähnt im 12. Jh. Das Deckengemälde stammt von Balthasar Mang.
- Die **Wallfahrtskirche Zum Hl. Abendmahl** wurde an einer als heilkräftig geltenden Quelle erbaut.
- **Schlosskapelle Hl. Dreifaltigkeit** (1637-1639). Die beiden Altarbilder (1739) stammen von Joh. Bapt. Zimmermann.
- **Schloss Hohenaschau**, Führungen: Mai-Sept., Di-Fr 9.30, 10.30, 11.30 Uhr; April u. Okt., Do 9.30, 10.30, 11.30 Uhr; Anmeldungen unter ✆ 904937. Das Schloss wurde Ende des 12. Jhs. von Konrad von Hirnsberg gegründet und diente als Stützpunkt am Eingang zum Oberen Priental. Bei Um- und Erweiterungsbauten im Stil der Renaissance (1540-1560) und Hochbarock (1672-1686) wurden die Schlosskapelle und das ehemalige Benefiziatenhaus (heute Prientalmuseum) erbaut.
- **Natur-Moorschwimmbad**, ✆ 5506, ÖZ: Mai-Mitte Sept.

Das Gebiet des heutigen Aschau bewohnten von circa 100 – 500 nach Christus die Kelten unter römischer Besatzung. Sie lebten als Jäger und Fischer, auch der Beginn der Weidewirtschaft geht auf diese Zeit zurück. Um 500 nach Christus wanderten die Bayuwaren in das Gebiet ein, es folgte die Christianisierung des Gebietes durch den Hl. Rupertus. 927 wird der Name Aschau zum ersten Mal erwähnt. Die um 1170 erbaute Burg wird 1809 durch die Tiroler geplündert.

Von Aschau nach Grassau 12,5 km

Am Ortsbeginn von Aschau endet der Radweg ~ auf der **Rosenheimer Straße** weiter geradeaus ~ über die Brücke der Prien ~ an der Gabelung links in die **Bernauer Straße** ~ über die Gleise nach Haindorf.

Ortsteil Haindorf

In Haindorf links an einer Orthopädischen Kinderklinik vorüber ~ dem Straßenverlauf Richtung Bernau folgen ~ am Ortsende von Aschau/OT Haindorf auf den rechtsseitigen Rad- und Fußweg.

Tipp: Nach links weist ein Schild auf einen Campingplatz hin.

Weiter geradeaus auf dem straßenbegleitenden Radweg ~ zur Rechten liegt der Ort Außerkoy ~ danach in Kurven bergab ~ ein kurzes Stück durch den Wald ~ links am Ort Gattern vorüber ~ geradeaus bis nach Bernau.

Bernau am Chiemsee

PLZ: 83233; Vorwahl: 08051

Tourist-Info Bernau, Aschauer Str. 10, ✆ 9868-0

Chiemsee Tourismus KG, Felden 10, ✆ 965550

Von Mai bis Oktober tägliche **Schiffsverbindung** zum Königschloß Herrenchiemsee und Fraueninsel.

Bernauer Kurpark, Infos bei Tourist-Info Bernau, ✆ 9868-0

Lehrpfad für Wünschelruten- und Sondengänger im **Kurpark** (große Pyramide mit Steinkreis)

Kurpark mit Kneippbecken

In der Hauptsaison (ab Pfingsten) jeden Freitag **Bauerntheater** im Gasthof Kampenwand und jeden Dienstag im **Kurpark** kostenloses Kurkonzert ab 19.30 Uhr.

Chiemsee Seebühne in Bernau/Chiemseepark Felden (Vorstellungen vom 8. Juli.-15. Aug.)

Kirche in Bernau

Kostenloser Ortsbus (mit Kurkarte) von Mai-Okt. (vom See in die Wandergebiete an der Kampenwand 1.669 m)

Hallenbad, Rottauer Str., ✆ 7230

Es ist unbekannt, zu welchem Zeitpunkt Bernau zum ersten Mal besiedelt wurde. Allerdings weisen Funde aus der Bronze- und Urnenfelderzeit bereits auf eine Besiedlung des Gebietes hin. Im 2. Jahrhundert nach Christus gab es hier römische Siedlungen zwischen denen der einheimischen keltischen Bevölkerung. In Bernau fand man ein römisches Gebäude, das wahrscheinlich der Landsitz eines wohlhabenden Römers war. Das Ende der Römerzeit im 3. Jahrhundert ist auf Einfälle der Alemannen zurückzuführen. Urkundlich erwähnt wurde Bernau zum ersten Mal im 10. Jahrhundert.

Im Ort an einigen Gasthöfen vorüber ~ vor Ihnen liegt die Kirche ~ noch vor der Vorfahrtsstraße rechts in den **Mitterweg** ~ an der T-Kreuzung links in die **Kreuzstraße** ~ dann an

Bernau – Gasthof zum alten Wirt

der Vorfahrtsstraße rechts auf den rechtsseitigen Radweg der B 305.

Zur Linken ein Fahrradverleih ~ am Gasthof links vorüber ~ nach 2,5 Kilometern endet der Radweg am Ortsbeginn von Rottau.

Rottau

PLZ: 83224; Vorwahl: 08641

Verkehrsverein, Grassauer Str. 7, ✆ 2773

Bayerisches Moor- und Torfmuseum, ✆ 2126, geführte Besichtigung mit Feldbahnfahrt: Mai-Okt., Sa 14-15.30 Uhr. Das heutige Museum befindet sich im Torfbahnhof, der 1920 als Torfverladestation entstanden ist. Bis 1988 war diese Verladestation in Betrieb. Das Museum befindet sich an der Bahnstrecke München-Salzburg, am Rande des Naturschutzgebietes „Kendlmühlfilzen".

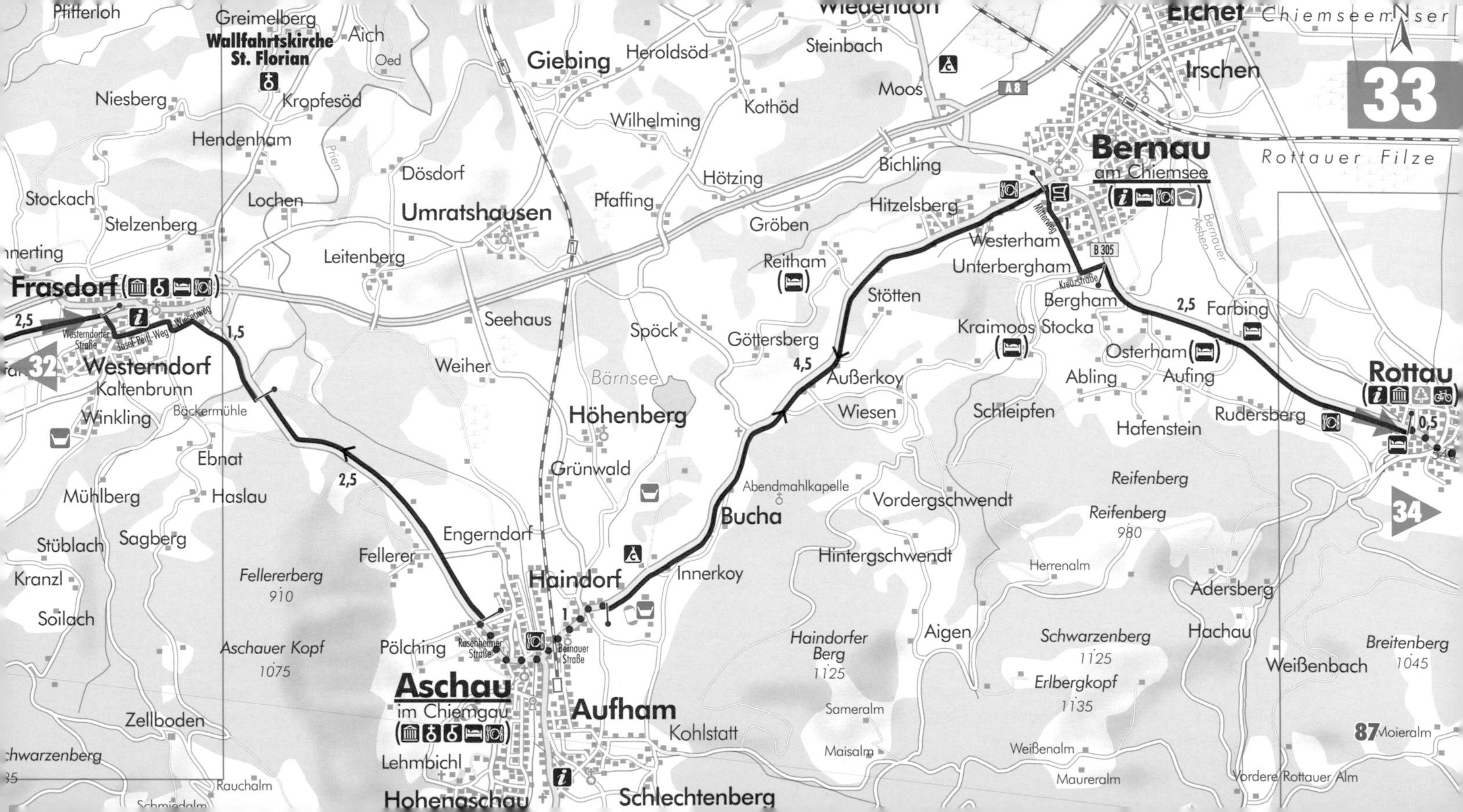
33
32
34
Frasdorf
Westerndorf
Aschau
im Chiemgau
Bernau
am Chiemsee
Rottau
Höhenberg
Haindorf
Aufham
Umratshausen
Giebing
Bucha
Hohenaschau
Schlechtenberg
Irschen
Wallfahrtskirche
St. Florian
Westerndorfer Straße
Josef-Peitl-Weg
Wiesenweg
Rosenheimer Straße
Bernauer Straße
Mitterweg
Kreuzstraße
B 305
A 8
Rottauer Filze
Chiemseemoser
2,5
1,5
2,5
1
4,5
1
2,5
0,5
Stötten
Reitham
Göttersberg
Außerkoy
Wiesen
Innerkoy
Abendmahlkapelle
Vordergschwendt
Hintergschwendt
Westerham
Unterbergham
Bergham
Stocka
Kraimoos
Osterham
Aufing
Abling
Farbing
Rudersberg
Hafenstein
Schleipfen
Reifenberg
Reifenberg
980
Herrenalm
Adersberg
Hachau
Aigen
Haindorfer Berg
1125
Schwarzenberg
1125
Erlbergkopf
1135
Breitenberg
1045
Weißenbach
Sameralm
Maisalm
Weißenalm
Maureralm
Vordere Rottauer Alm
Moieralm
Kohlstatt
Lehmbichl
Pölching
Engerndorf
Fellerer
Fellererberg
910
Aschauer Kopf
1075
Grünwald
Bärnsee
Spöck
Seehaus
Weiher
Leitenberg
Pfaffing
Hötzing
Gröben
Hitzelsberg
Bichling
Wilhelming
Kothöd
Moos
Steinbach
Heroldsöd
Dösdorf
Lochen
Greimelberg
Aich
Oed
Kropfesöd
Pfifferloh
Niesberg
Hendenham
Prien
Stockach
Stelzenberg
Kaltenbrunn
Winkling
Bäckermühle
Ebnat
Haslau
Mühlberg
Sagberg
Stüblach
Kranzl
Soilach
Zellboden
Rauchalm

Seit 1989 bietet sich Besuchern die Möglichkeit die Anlage zu besichtigen.

St. Michaels-Kirche Rottau. Die Kirche stammt zum Teil aus dem 17. Jh. und wurde 1954 umgebaut.

Wasserfall

Naturschutzgebiet „Kendlmühlfilzen" und **Moornaturlehrpfad**

„Steffl" (Grubermühle), Mühlwinkel 20, ✆ 2420

Das Gebiet, in dem sich Rottau heute befindet, wurde vor ungefähr 1200 Jahren eisfrei. Es bildete sich ein See, der keinen Ablauf hatte. Deshalb stand das Gebiet vollständig unter Wasser. Durch Ablagerungen bildete sich schließlich ein Schotterkegel, auf diesem wurde die heutige Ortschaft Rottau erbaut. Funde beweisen, dass das Gebiet bereits in der Bronzezeit besiedelt wurde.

Im Ort über zwei Brücken ~ an einer Ferienwohnung links vorüber ~ der Radweg endet kurzzeitig ~ für die nächsten 500 Meter auf mäßig stark befahrener Straße durch den Ort ~ weiter auf dem rechtsseitigen Radweg Richtung Grassau ~ in Kurven weiter ~ über den Grießenbach ~ am **Museum Klaushäusl** links vorüber ~ auf dem asphaltierten Radweg direkt in die nächste Stadt.

Grassau

PLZ: 83224; Vorwahl: 08641

Tourist-Information, Kirchpl. 3, ✆ 697960

Soleleitungsmuseum „Brunnhaus Klaushäusl", ✆ 4008-18 oder 5467, ÖZ: Mai-Okt., Di-Sa 14.00-17.00 Uhr, So/Fei 10.00-17.00 Uhr. In der ehemaligen Pumpstation der 2. Soleleitung von Bad Reichenhall nach Rosenheim ist die originale Reichenbach'sche „Wassersäulenmaschine" in ihrer baulichen Umgebung zu besichtigen. Eine Dauerausstellung zu „Natur und Kultur der Voralpenmoore", besonders des benachbarten Naturschutzgebietes

Pfarrkirche „Mariä Himmelfahrt"; Kirchenführungen. Die Kirche wurde um 1150 als romanische Kirche erbaut. Die Pfarrkirche in ihrer heutigen Form ist das Ergebnis einer sich über viele Jahrhunderte erstreckenden Bautätigkeit, wobei die Zeit der Spätgotik am stärksten prägend wirkte (15. Jh.). Die Barockisierung des Kirchenraums erfolgte in der Zeit von 1695 bis 1707.

Bauerntheater im Gasthof Post.

König-Ludwig-Denkmal. Es wurde 1910 zu Ehren von König Ludwig II. erbaut

Astron Sporthotel Achental, Mietenkamer Str. 65, ✆ 4010

Gasteiger, Fetznweg 15, ✆ 2466; Bartsch, Achentalstr. 5, ✆ 4570; Oliver's Radverleih, Bahnhofstr. 79/78b, ✆ 2147

Grassau ist eine der ältesten Ortschaften im Chiemgau, ihre Geschichte geht bis ins 6. Jahrhundert zurück. Über Jahrhunderte hinweg hatte Grassau eine dominierende Rolle über die Gemeinden des Achentales. Heute gewinnt die Ortschaft wieder zunehmend an Bedeutung und zwar auf Grund regelmäßiger Vieh- und Warenmärkte und durch Industrieansiedlungen.

Westerbuchberg
Engelstein
Frenthal
Almau
Osterbuchberg
Wildmoos
Weiße Achen
34
Hinterbichl
Wasen
Filze
Bachham
Gröben
Kendlmühlfilzen
Alte Rott
Kendlmühle
Weidach
Tiroler Achen
Egerndacher
Filz
Mietenkam
Rottau
St. Michaels-Kirche Rottau
0,5
540
Bayern
3
Klaus
35
2,5
Au
Untermoosbach
33
Moosbacher
Avenhausen
Grießenbach
Weiher
Strassberg
Grafing
Bannwald
Obermoosbach
Nachmühl
Kitzbichl
3
Klaus
Dillsberg
Brandstätt
Brunnhaus
Hindling
Staudach
Deutsche Alpenstraße
Brunnhaus Klaushäusl
Steinbruck
Grassau
Siedlung Gänsbach
Weidacher-straße
1
1,5
Hub
Breitenberg
1045
Einöder Berg
B 305
Aich
Einöde
2,5
Egerndach
Aschauer Zipf
1020
Zinnkopf
1225
Mehrenthal
0,5
540
Bahnhofstraße
Reifing
Reit
Weidach
Strehtrumpf
975
Kucheln
Steinach
Moieralm
Viehhausen
Bairer Alm
Staudachdenkmal
Bairer Kopf
1285
Zeppelinhöhe
Nussbaum
Wimmeralm
Hufnagl Alm
Lindenkapelle
Guxhausen
Schnappenwinkl
Großstaffen
Hochwurz
1290
Torkopf
845
Kobelwand
1215
Pettendorf
Grafenmais
Staffenalm
Jägerberg
Vorderalm
Naderbauern Alm
Fahrnpoint
B 305
Freiweidach
Niedernfels
Piesenhausen
Schnappenberg
Schwaig
1260
Schnappenkirche
Köstelkopf
1350
Rötlwandkopf
1380
denrath
1430
Luchsfallwand
Köstelwand
Hofkapelle
Wurzer
Marquatstein
Staudacher Alm

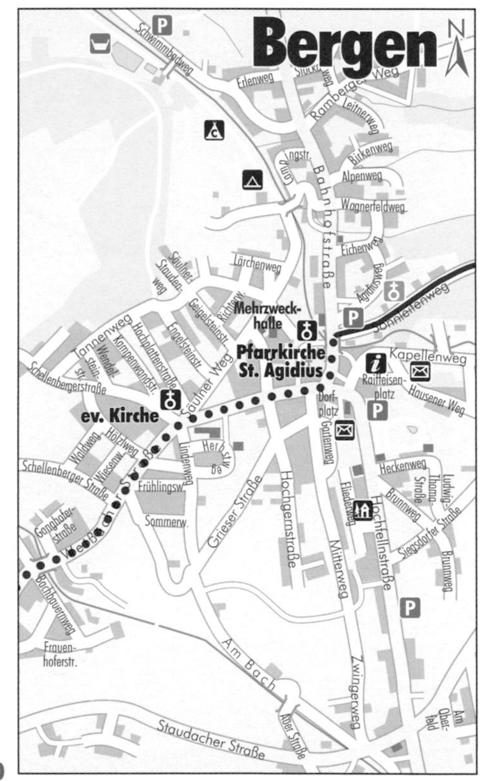

Von Grassau nach Bergen — 12 km

Am Ortsbeginn die Peugeot-Werkstätte ⁓ der Radweg endet kurz nach Ortsbeginn ⁓ auf mäßig stark befahrener Straße weiter an unzähligen Geschäften vorüber ⁓ in einem Rechtsbogen an der Kirche vorbei ⁓ am Kreisverkehr links Richtung Reit im Winkl ⁓ an der Marienapotheke vorüber ⁓ geradeaus auf der **Bahnhofstraße** ⁓ die DEA-Tankstelle passieren ⁓ am nächsten Kreisverkehr die zweite Ausfahrt Richtung Bergen ⁓ über die Brücke der Tiroler Achen nach Staudach.

Staudach

Nach der Brücke links in die **Weidacherstraße** (Anliegerverkehr frei) ⁓ auf Asphalt an der Kreuzung geradeaus in den Landwirtschaftsweg ⁓ an einigen Sitzbänken vorüber ⁓ dann an der T-Kreuzung rechts Richtung Egerndach ⁓ an der Gabelung links Richtung Egerndach ⁓ ⚠ vor der Brücke ein Schild - Achtung gefährliche Ausfahrt ⁓ geradeaus über die Brücke.

Egerndach

An einer Metzgerei und am Haus Elisabeth vorüber ⁓ zur Linken liegt die Kirche ⁓ an

Radweg Richtung Egerndach

der Vorfahrtsstraße links Richtung Bergen ⁓ geradeaus in den nächsten Ort.

Kitzbichl

Durch den kleinen Ort ⁓ nach den Häusern von Kitzbichl auf den linksseitigen Radweg.

Avenhausen

Auf dem Radweg geradeaus durch Avenhausen ⁓ über eine Brücke ⁓ danach leicht bergab bis nach Bayern.

Bayern

Weiter geradeaus auf dem linksseitigen Radweg durch Bayern.

Klaus

Im Ort an einigen wenigen Häusern und einem Fischteich vorüber.

Geißing

Dem Verlauf des Radweges durch die Siedlung folgen ~ an der kleinen Kapelle rechts vorüber.

Pletschach

Danach weist das Radschild links ~ in einem starken Rechtsbogen geradeaus weiter bis nach Bergen.

Bergen

PLZ: 83346; Vorwahl: 08662

- **Tourist-Information**, Raiffeisenpl. 4, ✆ 8321
- **Heimathaus „Blauer Anger"**, Hochfellnstr., ÖZ: Mai-Sept., Mi 16-18 Uhr.
- **Industriedenkmal „Maxhütte"**, (Maximilianshütte), Maxhüttenstr. 10, ÖZ: Mai-Okt., Di-So 10-16 Uhr. Mai-Okt.; Anmeldungen zu Führungen unter ✆ 8321, Führungen jeden Di 10 Uhr, Treffpunkt: Werkskapelle, Nähe Parkplatz Hochfeln-Seilbahn. Das Museum stellt die Entwicklung der Eisengewinnung, -verhüttung und -verarbeitung und deren Bedeutung in den vergangenen Jahrhunderten dar.
- **Pfarrkirche St. Ägidius**
- **Bauerntheater**, Festsaal, Weißacher Str.
- Eine **Rad- und Wanderkarte** zum **Chiemgau** erhalten Sie bei der Tourist-Information.
- **Kutschfahrten** n. Verein.: Toni Haindl, ✆ 8639; Margit Lindner, ✆ 0861/60739
- Eine wunderschöne Aussicht über den Chiemgau genießen Sie vom Hochfelln. Hinauf geht's mit den Bergener **Hochfelln-Seilbahnen**, ✆ 8511
- **Kurgarten** an der Hochfellnstraße.
- **Freibad**, ÖZ: ab Außentemperatur von 15 °C, Pfingsten-Sept., 9-19.30 Uhr.
- Am Minigolfplatz, ✆ 3176 od. 08664/757

Von Bergen nach Traunstein — 13,5 km

Am Ortsbeginn durch die Wohnsiedlung ~ auf der **Weißachenstraße** entlang ~ Richtung Kirche an einem Hotel und Gasthof vorüber ~ an der Vorfahrtsstraße links ~ geradeaus unzählige Geschäfte passieren ~ gleich nach der Kirche bei der Ampel rechts in den **Sonnleitenweg** ~ an einer Bäckerei-Konditorei vorüber ~ danach steil bergauf und eine kleinen Kapelle passieren ~ an der Gabelung links

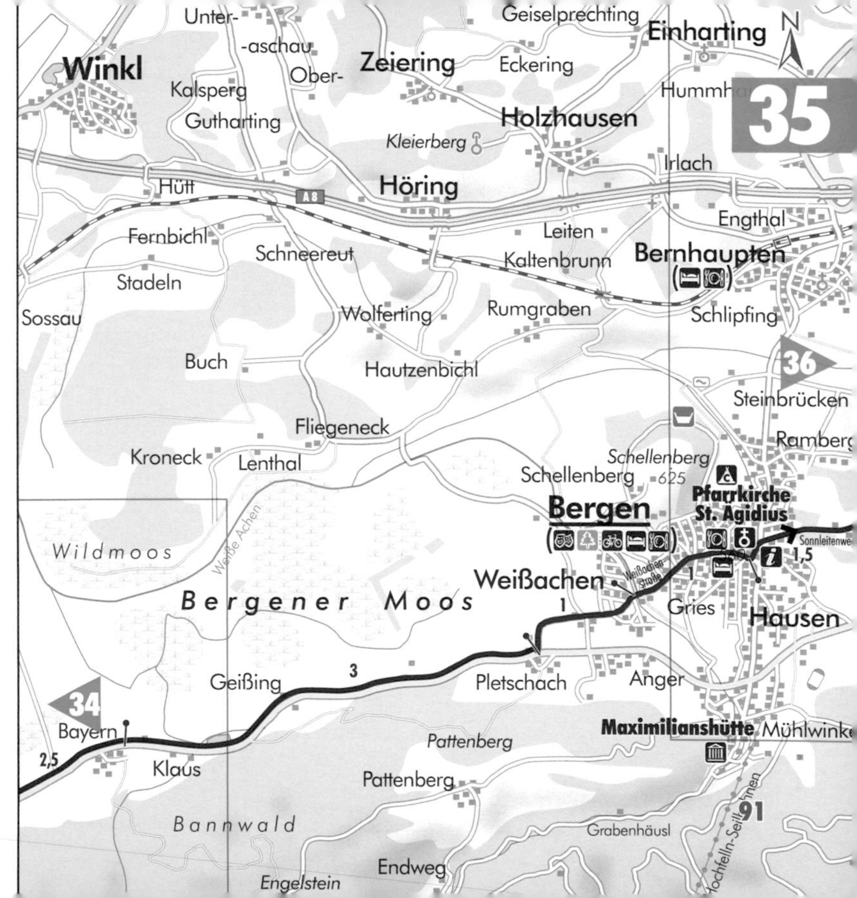

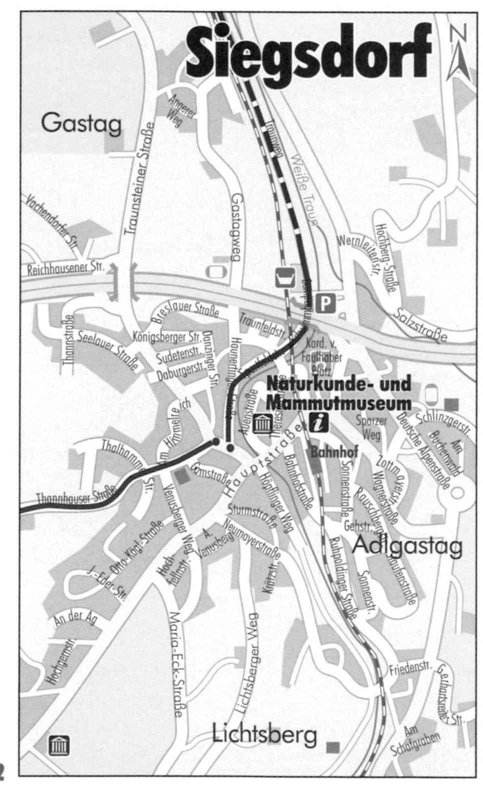

ans Ortsende ~ dann an der T-Kreuzung rechts Richtung Adelholzen.

An der darauffolgenden T-Kreuzung links Richtung Bad Adelholzen ~ leicht bergab ~ in einem Linksbogen am Gebäude der Firma Reger vorüber ~ an der nächsten Vorfahrtsstraße links.

Thalham

In Thalham ein Stück auf dem linksseitigen Radweg ~ danach rechts in den geschotterten Landwirtschaftsweg ~ zur Linken Viehweiden.

Vor der Kreuzung kurzzeitig auf Asphalt ~ danach geradeaus wieder auf unbefestigtem Weg weiter ~ nach 1,5 Kilometern bei den ersten Häusern von Siegsdorf auf die asphaltierte **Thalhamerstraße.**

Blick auf Siegsdorf

Siegsdorf

PLZ: 83313; Vorwahl: 08662

Tourist-Information, Rathauspl. 2, ✆ 498745

Naturkunde- und Mammutmuseum, Auenstr. 2, ✆ 13316, ÖZ: Ostern-Allerheiligen, Di-So 10-18 Uhr; Allerheiligen-Weihnachten, So 10-17 Uhr; Weihnachten-Ostern, Mi, Sa/So, 10-17 Uhr. Das Museum wurde 1995 eröffnet. Sehen kann man hier außer 40000 Jahre alten Mammut-Knochen, die im Gerhartsreiter Graben gefunden wurden, außerdem auch die Privatsammlung Josef Wührls, der seine Versteinerungen aus dem Chiemgau der Gemeinde Siegsdorf vermachte.

Mammutheum, Dr.-Liegl-Str. 35, ✆ 12120, ÖZ: Ostern-Okt., Di-So/Fei 10-17 Uhr. Das Mammutheum ist das Privatmuseum des Mammuthfinders Bernhard Bredow.

Pfarrkirche St. Marien

Mineralwasserquellen: Alpenholzener Alpenquellen, Besichtigung der Abfüllanlage sowie der Ursprungsquelle möglich; Siegsdorfer Petrusquelle, Betriebsführungen: Juni-Okt., jeden 1. und 3. Di 10 Uh nach Anmeldung.

Der **Kurgarten** von Siegsdorf liegt an der Weißen Traun, Eingang Auenstr. Weitere Kurgärten finden Sie in Eisenärzt, Dorfstr. und in Hammer, nahe Gasthof Hörterer.

Freibad, ÖZ: ab Außentemperatur von 18 °C, Juni-Sept., 9-20 Uhr; Ermäßigungen für Kurgäste; **Badesee**, Gasthaus Hörterer, OT Hammer.

Ski- und Sport-Treff, Reichenhaller Str. 1, ✆ 2616
Ederbike, Hubert Eder, Bahnhofsplatz, ✆ 2433 od. 0171/ 2779954

An der Vorfahrtsstraße in Siegsdorf links ~ dann an der darauffolgenden Vorfahrtsstraße wieder links ~ weiter geradeaus zur nächsten Vorfahrtsstraße und hier rechts ~ kurzzeitig auf mäßig stark befahrener Straße durch den Ort ~ beim Gasthof Alte Post links in die **Haunertingerstraße.**

An der Gabelung rechts weiter auf der **Traunfeldstraße** ~ am linken Ufer der Traun entlang ~ in einem Rechtsbogen in den **Schwimmbadweg** ~ über die Bahngleise auf dem Landwirtschaftsweg ~ unter der Autobahnbrücke hindurch ~ weiter Richtung Schwimmbad ~ am Schwimmbad rechts vorüber ~ geradeaus auf unbefestigtem Rad- und Fußweg, Forstweg.

Nach zirka einem Kilometer geradeaus in den asphaltierten Radweg ~ auf dem Radweg links der Traun ~ linker Hand die Bahngleise ~ über eine Brücke ~ durch eine Allee ~ unter einer Straßenbrücke hindurch ~ weiter geradeaus in den geschotterten Weg ~ ein Stück durch den Wald.

Traunstein

Am linken Ufer der Traun entlang bis nach Traunstein ~ zur Linken Bahngleise ~ über eine kleine Holzbrücke ~ danach dem Radschild in einem Rechtsbogen folgen ~ an der Kreuzung geradeaus auf Asphalt ~ an einigen Häusern in Traunstein vorüber ~ nach rechts über eine kleine Holzbrücke.

Geradeaus wieder auf geschotterten Weg ~ zur Rechten ein schöner Ausblick auf die Traun ~ an ein paar Wohnhäusern von Traunstein vorüber ~ unter einer Brücke hindurch ~ am Radweg parallel zur Straße **An der Haferlbrücke** ~ geradeaus unter einer weiteren Straßenbrücke hindurch.

Weiter auf unbefestigtem Rad- und Fußweg parallel zur **Trauner Straße** ~ zur Rechten eine große Brücke ~ im scharfen Linksbogen über eine Holzbrücke ~ rechts auf den gekiesten Weg ~ an ein paar kleinen Sitzbänken vorüber ~ unter der Heilig-Geist-Brücke hindurch ~ an einem Kinderspielplatz rechts vorüber ~ auf dem gekiesten Weg bis zur nächsten Brücke ~ hier endet der Radweg ~ das Radschild weist rechts über die Gasbrücke auf Asphalt in den **Ettendorfer Weg**.

Tipp: Auf dem Radweg bewegen Sie sich die ganze Zeit am Ortsrand von Traunstein. Wenn Sie einen Abstecher ins Zentrum machen wollen wenden Sie sich an der Gasbrücke nach links in die Gasstraße ins Zentrum von Traunstein.

Traunstein

PLZ: 83278; Vorwahl: 0861

- **Tourist-Information**, Haywards-Heath-Weg 1, Im Stadtpark, ✆ 9869523
- **Tourist-Information Traunstein**, ✆ 9869523
- **Brauereimuseum**, Hofgasse 6-11, ✆ 98866-0, ÖZ: Mo-Mi, 13 Uhr, inkl. Bierverkostung. Es besteht die Möglichkeit die Geheimnisse der bayerischen Braukunst aus nächster Nähe zu beobachten und zu entdecken.
- **Heimat- und Spielzeugmuseum**, Museum im Heimathaus, Stadtplatz 2-3, ✆ 164786. ÖZ: Mai-Okt., Di-So 10-15 Uhr, Juli-Aug. täglich. Schwerpunkt des Museums liegt auf dem Wirtschaftsleben der Stadt, sowie dem Handel und Handwerk. Außerdem wird die bürgerliche sowohl bäuerliche Kultur des Chiemgaus vorgestellt.

Traunstein – Stadtplatz

- **Ettendorfer Kirche**
- **Salinenkapelle**, erbaut 1630/31 von Wolf König nach Plänen von Isaak Baders. Der Sakralbau wurde erst 1671 dem Gründer der Saline geweiht, St. Rupert und Maximilian.
- **Lindlbrunnen**, historisches Wahrzeichen von Traunstein. 1526 von Meister Steffan aus rotem Ruhpoldinger Marmor erschaffen.
- Sehenswerter Ortskern rund um den **Stadtplatz**.
- **Erlebnis Warmbad Traunstein**, ✆ 164744, ÖZ: Mai 9-19 Uhr, Juni-Aug., 9-20 Uhr, Sept., 9-19 Uhr.

Das damalige Trauwenstain – heute Traunstein – wurde erstmals 1245 in einer Schrift erwähnt. Der Name bedeutet wörtlich übersetzt „Burg an der Traun". Um 1300 wurde Traunstein

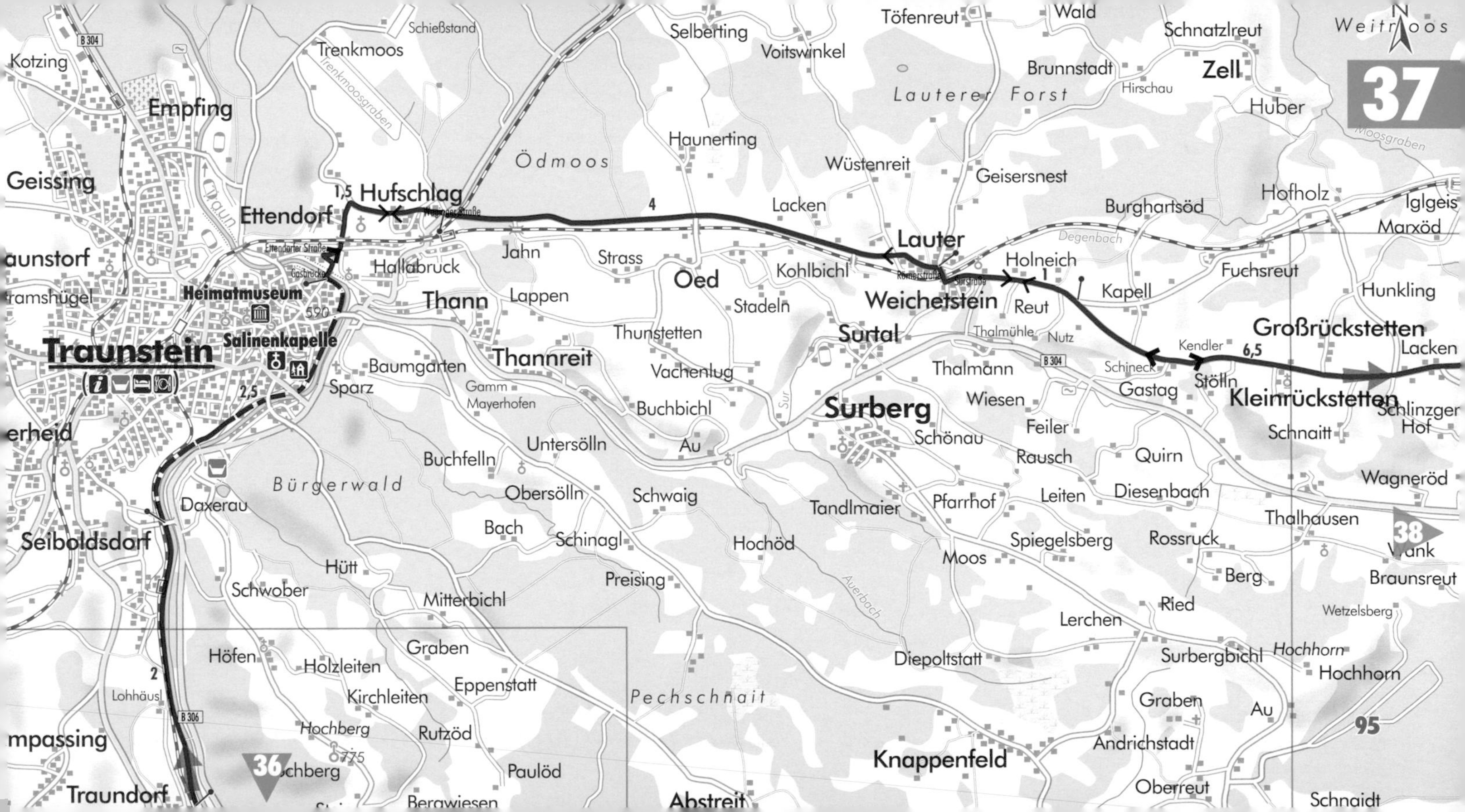

37
Weitmoos
Töfenreut
Wald
Schnatzlreut
Selberting
Voitswinkel
Schießstand
Trenkmoos
Trenkmoosgraben
B 304
Kotzing
Brunnstadt
Zell
Lauterer Forst
Hirschau
Huber
Empfing
Haunerting
Moosgraben
Ödmoos
Wüstenreit
Geisersnest
Geissing
Hofholz
1,5
Hufschlag
Lacken
Iglgeis
Ettendorf
4
Burghartsöd
Marxöd
Lauter
Degenbach
aunstorf
Ettendorfer Straße
Jahn
Strass
Holneich
Hallabruck
Oed
Kohlbichl
Fuchsreut
Römerstraße
1
Kapell
ramshügel
Heimatmuseum
Thann
Lappen
Stadeln
Weichetstein
Reut
Hunkling
590
Thunstetten
Surtal
Thalmühle
Nutz
Großbrückstetten
Traunstein
Salinenkapelle
Thannreit
Kendler
6,5
Lacken
Baumgarten
Vachenlug
B 304
Schineck
Thalmann
Sparz
Gamm
Mayerhofen
Stölln
Gastag
2,5
Wiesen
Kleinrückstetten
Buchbichl
Surberg
Schlinzger Hof
erheid
Feiler
Schönau
Schnaitt
Untersölln
Au
Rausch
Quirn
Buchfelln
Bürgerwald
Wagneröd
Obersölln
Schwaig
Leiten
Diesenbach
Daxerau
Pfarrhof
Tandlmaier
Thalhausen
Bach
Seiboldsdorf
Schinagl
Hochöd
Spiegelsberg
Rossruck
38
Wank
Moos
Hütt
Preising
Berg
Braunsreut
Schwober
Auerbach
Mitterbichl
Ried
Wetzelsberg
Lerchen
Höfen
Graben
Holzleiten
Diepoltstatt
Surbergbichl
Hochhorn
Hochhorn
2
Eppenstatt
Kirchleiten
Lohhäusl
Pechschnait
Graben
Au
B 306
Hochberg
Rutzöd
95
mpassing
Andrichstadt
775
Knappenfeld
36
Paulöd
Oberreut
Traundorf
Bergwiesen
Abstreit
Schnaidt

das Stadtrecht verliehen. Mitte des 15. Jahrhunderts widmete sich die Stadt dem Salzhandel welcher einen hohen Profit einbrachte.

Unter Herzog Maximilian wurde eine Soleleitung nach Traunstein errichtet. Im Laufe der Jahre hatte die Stadt unter vielen negativen Einflüssen wie zum Beispiel der Pest und einigen Bränden zu leiden.

Die Bewohner der Stadt schafften es jedoch mit vereinten Kräften Traunstein wieder neu aufzubauen. 1860 kam es zu einem beträchtlichen Aufschwung, welchen die Stadt dem Anschluss an das Eisenbahnnetz auf der Linie München-Salzburg zu verdanken hatte. Die tiefer gelegenen Stadtteile Traunsteins wurden 1899 von einer großen Überflutung heimgesucht. Auch schwere Bombenangriffe im zweiten Weltkrieg musste die Stadt über sich ergehen lassen. Heute hat sich die Stadt von den zahlreichen Katastrophen erholt und kann nun mit Stolz die historischen Bauwerke und Museen der damaligen Zeit zeigen.

Von Traunstein nach Teisendorf — 15 km

Dem Linksbogen des **Ettendorfer Wegs** folgen (Radschild vorhanden) ~ an der Vorfahrtsstraße rechts in die **Ettendorfer Straße** ~ steil bergauf ~ geradeaus weiter in den nächsten Ort.

Ettendorf

In einem Linksbogen unter der Eisenbahnbrücke hindurch ~ danach an Höfen vorüber ~ an der Gabelung rechts nach Hufschlag.

Hufschlag

Am Ortsbeginn leicht bergauf und wieder bergab ~ an der Vorfahrtsstraße nach links ~ gleich darauf rechts in die **Wagingerstraße** ~ von dieser Straße Richtung Lauter abwenden ~ über die Bahngleise ~ durch den Wald ~ links der Bahngleise bis nach Lacken.

Lacken

Im Ort wird die Straße schmäler (kein Mittelstreifen) ~ an einer großen Brücke links vorüber ~ in den nächsten Ort leicht bergab.

Lauter

An der Kreuzung im Ort rechts auf die **Römerstraße** ~ über die Bahnbrücke ~ danach in einem scharfen Linksbogen auf der **Surstraße** weiter (Radschild vorhanden).

An der Gabelung am Ortsende links Richtung Holneich und Kapell ~ rechts an den Häusern der Ortschaft Holneich vorüber ~ zur Rechten die Orte Thal und Gastag ~ steil bergab ~ nach Gastag wieder steil bergauf ~ zur Linken Großrückstetten ~ weiter geradeaus bis nach Lacken.

Lacken

Durch die kleine Siedlung ~ weiter Richtung Rückstetten ~ nach dem Ort leicht bergab und kurvig dahin ~ an der Kreuzung geradeaus Richtung Oberteisendorf ~ leicht bergab ~ kurzzeitig durch den Wald ~ in einer starken Rechtskuve steil bergab Richtung Kirchsteg ~ rechts am Ort Kirchsteg vorüber ~ über zwei Brücken geradeaus.

Oberteisendorf

An der Vorfahrtsstraße in Oberteisendorf von der **Holzhausener Straße** links in die **Freilassinger Straße** ~ nach 500 Metern am Ortsende auf den rechtsseitigen Rad- und Fußweg nach Obermoos.

Obermoos

Auf dem Radweg parallel zur B 304 bis nach Hochmoos.

Hochmoos

Unter der Straßenbrücke der B 304 hindurch und somit auf die andere Straßenseite wechseln ~ in einem Rechtsbogen endet der Radweg ~ am Kreisverkehr die zweite Ausfahrt nach Teisendorf.

Teisendorf

PLZ: 83317; Vorwahl: 08666

Tourismusbüro Teisendorf, Poststr. 14, ✆ 295, Fax 986596

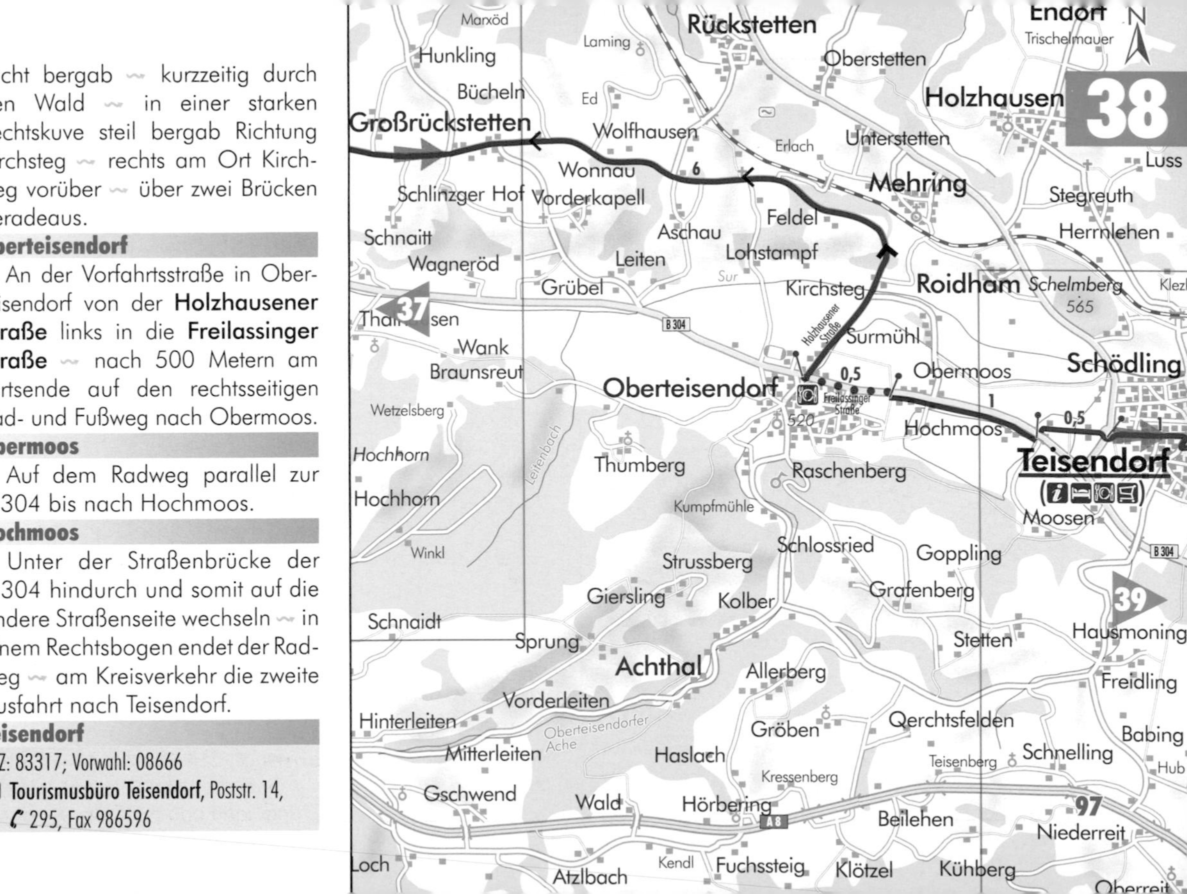

Zum ersten Mal urkundlich erwähnt wurde ***Teisendorf*** *im Jahre 790, es ist aber wahrscheinlich, dass die Geschichte des Ortes weiter zurückgeht. Bereits vor 1600 dürfte es in Teisendorf mindestens eine Brauerei gegeben haben. 1600 wird erstmals in Schriften ein Bierbrauer erwähnt. Seit dem Jahre 1813 ist die Brauerei ununterbrochen im Besitz der Familie Wieninger.*

Von Teisendorf nach Bad Reichenhall — 20 km

Nach dem Kreisverkehr gelangen Sie direkt nach Teisendorf ~ im Ort an der Pizzeria und Shell-Tankstelle vorüber ~ nach der Hypo-Vereinsbank nach rechts ~ an der Vorfahrtsstraße links am Postamt vorüber ~ danach an der Gabelung rechts Richtung Schwimmbad und Stadion ~ beim Verlassen von Teisendorf dem Straßenverlauf nach rechts folgen ~ am Schwimmbad rechts vorüber ~ leicht bergab ~ bei der ersten Möglichkeit rechts unter der Straßenbrücke der B 304 hindurch in den unbefestigten Weg ~ durch den Wald ~ über einige Brücken hinüber ~ auf der **Ramsauer Straße** zum Weiler Ramsau.

Teisendorf

Ramsau

Auf geschottertem Weg am Weiler Ramsau vorbei ~ am Abzweig dem Hauptweg im starken Linksbogen folgen ~ an der Kreuzung links in den **Mooshäuslweg** ~ durch den Wald ~ geradeaus an einigen Häusern vorüber ~ kurzzeitig auf Asphalt ~ auf unbefestigtem Weg nach Höglwörth.

Höglwörth

Stiftskirche St. Peter und Paul. Das einstige Augustiner-Chorherrenstift war einst Zentrum des Rupertiwinkels. 1817 wurde es aufgelöst. Zu besichtigen ist die wunderschöne **barocke Stiftskirche.**

Seebad Höglwörther See

Höglwörth war das kleinste und ärmste Kloster im Fürsterzbischoftum Salzburg, Gründungsdatum und Stifter sind urkundlich nicht nachvollziehbar. Allerdings existiert eine Schenkungsurkunde des Werigand von Plain, der das Gebiet auf dem das Kloster errichtet wurde, übergeben hat. Man weiß allerdings nicht an wen diese Schenkung gerichtet war. Nachdem Papst Eugen III. ein Privileg verfälscht hatte, ging die Einsetzung des Propstes und die Aufsicht über das Kloster von Salzburg aus. Von den Nachkommen Werigands gingen weitere Schenkungen an Höglwörth. Dadurch konnte es im 12. und 13. Jahrhundert großen Grundbesitz erlangen. Die Größe des Grundbesitzes war im 14. Jahrhundert bereits fast so groß wie im 18. Jahrhundert. Das Kloster wurde im Juli 1817 aufgelöst, es dauerte allerdings noch bis 1824 bis der gesamte Klosterbesitz verkauft war.

Dorfplatz in Anger

Bei den ersten Häusern von Höglwörth wieder auf Asphalt ~ nach dem Parkplatz rechts in den **Klosterweg** ~ zur Rechten liegt die Kirche ~ zirka 1,5 Kilometer auf dem asphaltierten Klosterweg geradeaus ~ 200 Meter leicht bergauf.

Anger

PLZ: 83454; Vorwahl: 08656

Tourist-Info, Dorfpl. 4, ✆ 988922, 🚲 möglich.

Sie kommen nun in den Luftkurort Anger im Berchtesgadener Land.

König Ludwig I. bezeichnete Anger einst als sein „schönstes Dorf“. Rund um die große Dorf- und Gemeindewiese, von der sich wahrscheinlich der Dorfname ableitet, stehen Gasthöfe und blumengeschmückte Häuser.

Tipp: Von Anger haben Sie während Ihrer Radtour einen herrlichen Ausblick auf die bayerischen Berge wie den Hochstaufen, Untersberg und Högl.

Auf einer Asphaltstraße durch Anger ~ vom Klosterweg an der Vorfahrtsstraße links in den

Dorfplatz ~ gleich darauf rechts ~ in einem Linksbogen um den Dorfanger ~ an der Kirche und am Rathaus rechts vorüber ~ danach steil bergauf ~ in einem spitzen Winkel von der **Pfaffendorfstraße** rechts in den **Mühlenweg** weiterhin bergab.

Über eine Brücke ~ danach an der Vorfahrtsstraße links in die **Scheiterstraße** ~ an einer Pension vorüber ~ gleich darauf rechts in den **Aufhamer Weg** ~ geradeaus in den unbefestigten Landwirtschaftsweg ~ zur Rechten die Autobahn A 8 ~ ⚠ an der Vorfahrtsstraße rechts auf die mäßig stark befahrene Straße ~ unmittelbar danach links in den **Wiesenweg**.

Aufham

PLZ: 83454; Vorwahl: 08656

Pfarrkirche

Staufenbad Aufham

Über eine Brücke ~ an der T-Kreuzung rechts in die **Jechlinger Straße** ~ unmittelbar danach links in den **Achenweg** ~ weiter etwa einen Kilometer leicht bergab bis nach Jechling.

Jechling

Auf dem **Achenweg** überqueren Sie die Brückenstraße ~ zur Linken liegt der Ort Jechling ~ geradeaus weiter auf dem **Achenweg**

Bad Reichenhall

~ zur Rechten die Autobahn A8 ~ kurzzeitig auf guter Schotterstraße ~ an der Kreuzung links weiter auf der Asphaltstraße, vorbei am Bio- und Reiterhof Klingerhof ~ rechts etwa 100 Meter der **Pidinger Straße** folgen.

Danach links in den **Innerbergweg** und an einigen Höfen vorüber ~ über die Brücke ~ an der T-Kreuzung rechts auf den rechtsseitigen Radweg ~ unter der Straßenbrücke hindurch ~ nach der Brücke in den Ort Piding.

Piding

PLZ: 83451; Vorwahl:08651

Tourismusbüro, Petersplatz 2, ✆ 3860

Das erste Mal besiedelt wurde das Gebiet des heutigen Piding bereits in der Jungsteinzeit. Nach den Kelten wurde das Gebiet 500 Jahre von den Römern beherrsch. Die Römerherrschaft ging mit der Völkerwanderungszeit zu Ende, in dieser Zeit kamen die Bajuwaren in das Gebiet. Die älteste urkundliche Erwähnung Pidings erfolgte in der Völkerwanderungszeit. Die Grenzortschaft entwickelte sich während des 19. Jahrhunderts nur sehr langsam. Nach dem 2. Weltkrieg stieg die Bevölkerungszahl auf Grund von Zuwanderung relativ stark an, dies führte zu einer Änderung der Bevölkerungs- und Wirtschaftsstruktur.

Im Ort an der Tourist-Information und dem Rupertusbrunnen vorüber ~ bei der Kirche links ~ am Abzweig der **Berchtesgadener Straße** in einem Linksbogen folgen ~ an einer Metzgerei vorüber ~ rechts in die **Haindlstraße** und danach weiter geradeaus ~ an dem Haus mit der Nummer 6 vorüber ~ nach rechts in den unbefestigten Radweg ~ auf dem gekiesten Weg bis zur Bahn ~ bei den Bahngleisen eine rot-weiße Absperrung für Kraftfahrzeuge.

Nach dem Gleisen in einem Linksbogen weiter ~ danach rechts über den Steg ~ gleich darauf wieder rechts in den unbefestigten Weg ~ unter der Autobahn hindurch ~ an der Kreuzung links über den Pidinger Steg und somit über die **Saalach** Richtung Schwarzbach ~ nach der Brücke rechts ~ an dieser Stelle den

Schildern des Tauernradweges und Salinenweges nach rechts folgen.

Durch den Wald links der Saalach Richtung Weißbach ~ an der Gabelung dem Schild des Tauern-Radweges nach rechts folgen ~ über eine Brücke ~ weiter geradeaus an einem Teich vorüber ~ durch den Wald ~ am Abzweig auf dem Hauptweg in einem starken Linksbogen unter der Straßenbrücke hindurch.

Zur Rechten ein schöner Ausblick auf die Saalach ~ an der Gabelung auf dem Hauptweg nach links ~ zur Rechten die Gleise ~ an einem großen Umspannwerk vorüber ~ rechter Hand erblickt man die ersten Häuser von Bad Reichenhall ~ an der Asphaltstraße links auf die **Teisendorfer Straße**.

Gleich darauf rechts am Bosch-Service vorüber ~ geradeaus auf dem asphaltierten Rad- und Fußweg links der Bahngleise ~ durch den Wald ~ in einem Linksbogen unter der Straßenbrücke hindurch ~ vor der großen Brücke links durch den Tunnel ~ unter einer weiteren Brücke in einem Rechtsbogen hindurch.

Der Radweg endet ~ danach in einem scharfen Linksbogen in die **Glasergasse** und an einem großen Gebäude vorüber ~ geradeaus bis zur Vorfahrtsstraße ~ hier rechts in die **Salzburger Straße**.

Tipp: Wenn Sie sich von der Salzburger Straße nach links in den Marzoller Weg wenden gelangen Sie auf den Mozart-Radweg. Präzise Informationen zur Strecke erhalten Sie im ***bikeline*-Radtourenbuch Mozart-Radweg.**

Bad Reichenhall

PLZ: 83435; Vorwahl: 08651

- **Kur- und Verkehrsverein e.V.**, Wittelsbacher Str. 15, ✆ 606303
- **Städt. Heimatmuseum**, Getreideg. 4, ✆ 66821, ÖZ: Mai-Okt., Di-Fr 14-18 Uhr, jeden 1. So im Monat 10-12 Uhr. Das Mu-

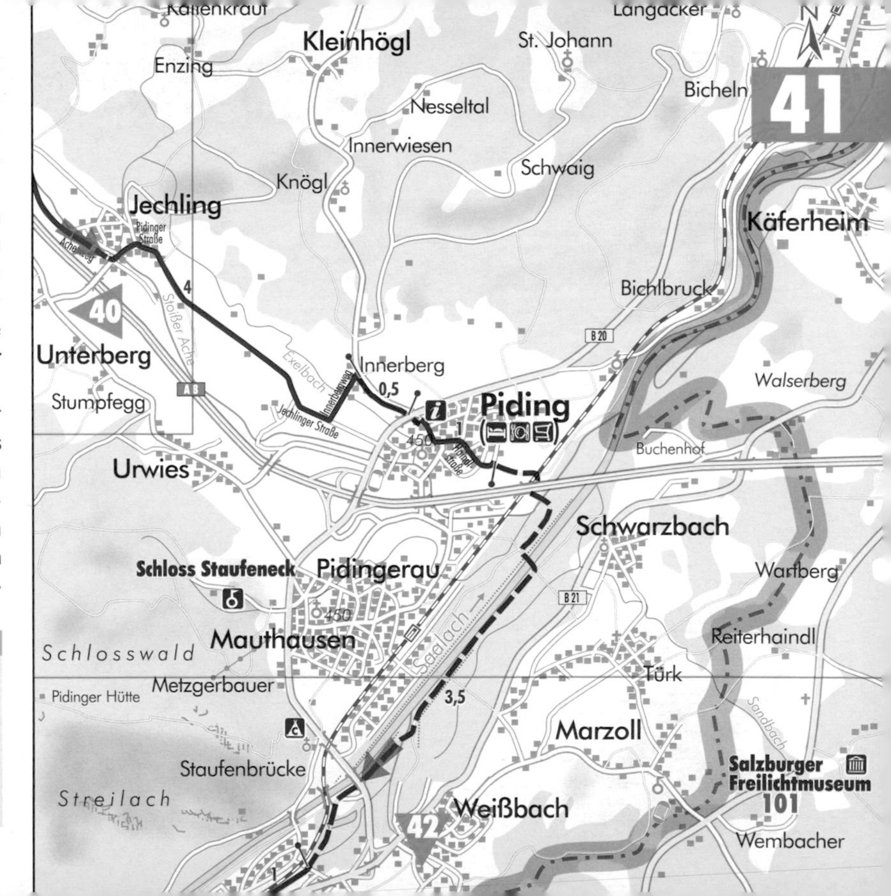

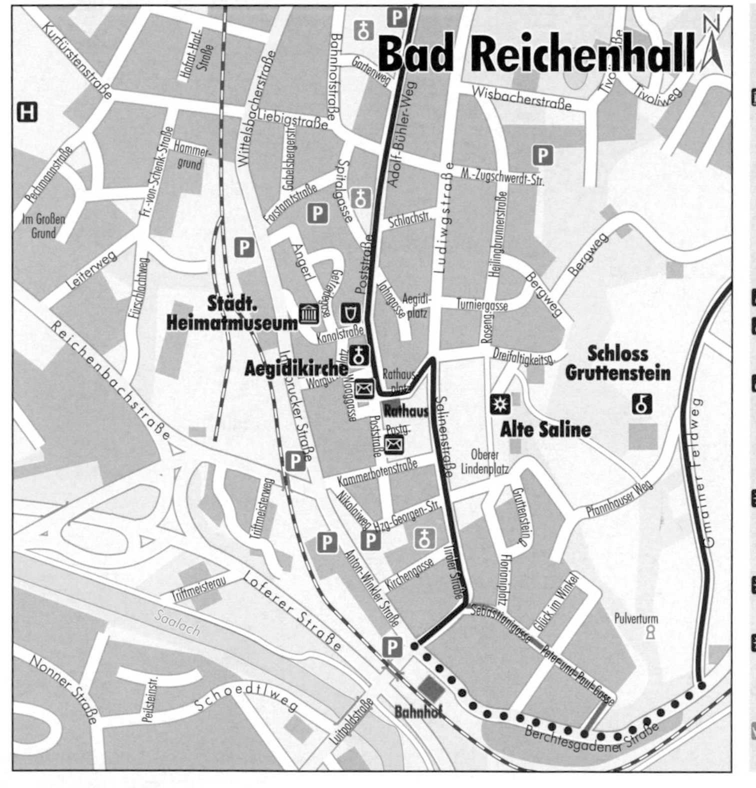

seum beschäftigt sich mit der Siedlungsgeschichte des Saalachtales sowie mit der Entwicklung der Salzgewinnung.

Salzmuseum in der Alten Saline, ✆ 7002151, ÖZ: April-Okt., tägl. 10-11.30 Uhr u. 14-16 Uhr; Nov.-März, Di/Do 14-16 Uhr. Museum rund um die Reichenhaller Saline, den Quellenbau, das Salzsieden und alte und moderne Salinentechnik. Geführte Rundgänge sind möglich.

St. Zeno Kirche

Aegidikirche, Aegidipl. Die Kirche wurde 1159 erbaut

Burg Gruttenstein mit der **historischen Stadtmauer** erhebt sich hoch über der Alten Saline. Die Burg befindet sich heute in Privatbesitz.

Rund um den **Aegidiplatz** finden sich das Alte Feuerhaus (heute VHS), eine Galerie, die Städt. Musikschule und ein Kleinkunsttheater.

Das **Alte Rathaus** am **Rathausplatz** wurde 1849 erbaut und 1924 mit Fresken bemalt.

Gradierwerk mit Solebrunnen. Das überdachte Freiluftinhalatorium befindet sich im Kurgarten.

Rupertusbad, ÖZ: Mo 13.30-19.30 Uhr, Di-So 8.30-19.30 Uhr. Therapeutisches Solebad und Freibad. Derzeit als Übergangsbad in Betrieb, Neueröffnung als Rupertus Therme im März 2005.

Städt. Hallenbad, ÖZ: Mo-Fr 14-21.30 Uhr; Sa, So, Fei 10-21.30 Uhr

Bad Reichenhall liegt wunderschön in einem Flusstal im Berchtesgadener Land.

Das Salz, auch das „weiße Gold" genannt, bestimmte seit jeher die Geschicke von Bad Reichenhall. Das Salzmuseum in der Alten Saline zeigt die historische und moderne Salzgewinnung in Bad Reichenhall, das durch die Salzgewinnung über die Grenzen hinweg berühmt wurde, in anschaulichen Bildern.

Die malerischen Berge ringsum, das mediterrane Ambiente der Innenstadt mit gemütlichen Cafés und Restaurants sowie das umfangreiche Angebot im medizinischen, kulturellen, künstlerischen und sportlichen Bereich lockt jedes Jahr zahlreiche Gäste nach Bad Reichenhall.

Von Bad Reichenhall nach Berchtesgaden 23 km

Auf der **Salzburger Straße** an der Tankstelle vorüber ~ zur Linken einige Pensionen und die **St. Zeno Kirche** ~ Sie passieren das Pfarramt ~ linker Hand der Park ~ dem Verlauf der Salzburger Straße in einem Rechtsbogen folgen und geradeaus in die Fußgängerzone bis zur **Kurstraße,** hier rechts ~ danach wiederum links in den Adolf-Bühler-Weg ~ über den **Kaiserplatz** in die **Poststraße** bis zum **Rathausplatz** ~ nach rechts in die **Salinenstraße** ~ an der Bücherei St. Nikolaus vorüber ~ am Ende der Tiroler Straße rechts in die **Sebastianigasse**, autofrei.

Tipp: Sie können sich am Ende der Tiroler Straße auch nach links in die Sebastianigasse wenden, hier geht es dann am schönen **Florianiplatz** vorbei, weiter in die Peter-und-Paul-Gasse, dem Verlauf folgen und an der Berchtesgadener Straße wieder an die Hauptroute nach links anknüpfen (siehe orange Route).

Der Rad- und Fußweg endet an der T-Kreuzung ~ hier links auf die mäßig stark befahrene **Berchtesgadener-Straße**.

Tipp: Wenn Sie hier an der T-Kreuzung jedoch geradeaus weiterfahren stoßen Sie auf den Tauern-Radweg. Genauere Informationen zur Strecke erhalten Sie im ***bikeline*-Radtourenbuch Tauern-Radweg.**

Nach 500 Metern gegen Ortsende von Bad Reichenhall links in den **Gmainer Feldweg** stark bergauf ⇝ an einem Schloss rechts vorüber ⇝ geradeaus in den Radweg, dieser endet nach einigen hundert Metern ⇝ geradeaus auf der **Sonnenstraße** leicht bergab.

Bayerisch Gmain

PLZ: 83457; Vorwahl: 08651

Tourist-Info, Großgmainer Str. 14, ✆ 606401

Von der **Sonnenstraße** rechts in die **Reichenhaller Straße** und somit weiter geradeaus ⇝ am Abzweig dem Straßenverlauf nach links folgen ⇝ an der Kirche **Bayerisch Gmain** rechts vorüber ⇝ bei der nächsten Gabelung links in den **Dötzenweg**.

Die **Großgmainer Straße** überqueren ⇝ leicht bergab ⇝ links am Kurgarten entlang ⇝ weiter auf der **Dorfbauernstraße** ⇝ links in die **Untersbergstraße** bis zur **Berchtesgadener Straße** ⇝ diese überqueren und auf dem Fuß- und Radweg entlang der **B 20** bis in die **Römerstraße** ⇝ weiter auf der **Hohen-**

Berchtesgaden – Stadtansicht

friedstraße ⇝ durch die Unterführung ⇝ an Sportanlagen vorbei ⇝ weiter auf dem linksseitigen Rad- und Fußweg ⇝ der Radweg führt nach 1,5 Kilometern links in den Wald hinein ⇝ stark bergauf durch den Wald Richtung Südosten ⇝ nach einem Kilometer wieder auf den linksseitigen, asphaltierten Radweg der **B 20** ⇝ nach 500 Metern endet dieser ⇝ hier links in den geschotterten Weg Richtung Hallthurm.

Hallthurm

Auf der **Reichenhaller Straße** durch den Ort ⇝ kurzzeitig auf asphaltierter Straße in die Sackgasse ⇝ an der Gabelung in den unbefestigten Landwirtschaftsweg ⇝ durch den Wald ⇝ an Bänken vorüber ⇝ zur Rechten ein Wildgehege ⇝ an der Gabelung rechts ⇝ dann am Abzweig dem Verlauf der Straße nach rechts folgen ⇝ links der **Hof Holzstube** ⇝ an der Kreuzung rechts in den **Holzstubenweg**.

Badenpoint

Bei den ersten Häusern wieder auf Asphalt ⇝ an der T-Kreuzung rechts ⇝ über die Bahngleise ⇝ an der Vorfahrtsstraße links auf die mäßig stark befahrene **B 20** ⇝ über eine Brücke ⇝ danach auf den rechtsseitigen Radweg, parallel zur **B 20** ⇝ zur Linken die Gleise ⇝ über eine weitere Brücke ⇝ der Radweg wechselt auf die linke Straßenseite ⇝ auf dem straßenbegleitenden Radweg an der Tankstelle vorüber ⇝ in Kurven leicht bergab ⇝ rechts am Ortsteil **Winkl** und am Sportplatz vorüber ⇝ unter einer Straßenbrücke hindurch.

Bischofswiesen

PLZ: 83483; Vorwahl: 08652

Verkehrsamt, Hauptstr. 40, ✆ 977220

Vor 1155 hatte das Erzbistum Salzburg eine Wiese im Bereich der heutigen Ortschaft Bischofswiesen. Das Waldgebiet in der Umgebung gehörte den bayerischen Herzögen. Der Stiftprobst Heinrich I. von Berchtesgarden hingegen besaß ein Gut in Landersdorf in Niederösterreich. Laut einem urkundlichen Beleg tauschten die beiden die Grundstücke am 8. Mai 1155. Die Wiese erhielt vom Stift den Namen Bischofswies. Dies geschah wahrscheinlich sowohl zur Erinnerung an den ehemaligen Besitzer, als auch zur genauen Kennzeichnung der Wiese. Die Entstehung Bischofswiesen wurde 1929 in seinem Wappen festgehalten. Auf dem Wappen sieht man auf einer grünen Wiese einen so genannten Feldkasten. Hinter diesem befinden sich zwei gekreuzte blaue Bischofsstäbe. Der blaue Himmel hat die Form eines Lilienblattes. Dieses soll an Irmengard, die das Kloster Berchtesgarden stiftete, erinnern und gleichzeitig die Einverleibung der Bischofswiese in das Stiftsland Berchtesgarden zeigen.

Tipp: Wenn Sie auf der Staatsstraße bleiben (orange Route) geht es auf durchwegs ebenen Radwegen nach Berchtesgaden.

An der Kirche von Bischofswiesen rechts vorüber ~ durch den Ort ~ im Ort Bischofswiesen an der Ampelanlage links in die **Aschauerweiherstraße** ~ der Weg führt mäßig steil bergauf, zieht sich in Kurven weiter ~ an der Weggabelung Aschauerweiherstraße/Am Rostwald auf der **Aschauerweiherstraße** bleiben.

Tipp: Wenn Sie an dieser Gabelung nach rechts fahren, können Sie natürlich auch über den Rostwald nach Berchtesgaden direkt zum Königlichen Schloss radeln.

Vorbei am links von ihnen liegenden Parkplatz des „Naturbad Aschauerweiher, Wander- und Langlaufzentrum“ ~ danach geradeaus weiter ~ an der Kreuzung **Gerner Straße/Locksteinstraße** in die **Locksteinstraße** einbiegen ~ der Straße folgen und nach einem kuzen Steilstück in das „Nonntal“ einmünden ~ diese Straße führt direkt zum **Königlichen Schloss Berchtesgaden.**

Berchtesgaden

PLZ: 83471; Vorwahl: 08652

- **Berchtesgaden Tourismus GmbH**, Königsseer Str. 2, ✆ 9670
- **Tourismusbüro**, Maximilianstr. 9, ✆ 9445300
- **Verkehrsbüro Oberau**, Roßfeldstr. 22, ✆ 964960
- **Heimatmuseum-Schloss Adelsheim**, Schroffenbergallee 6, ✆ 4410, ÖZ: ganzjährig, Mo-Fr 10-15 Uhr. Sammlung einheimischer Kunst und Kultur: Holzschnitzereien, Trachten, Spanschachteln, Möbel.
- **Dokumentation Obersalzberg**, Salzbergstr. 41, ✆ 947960, ÖZ: Mai-Okt., Di-So 9-17 Uhr; Nov.-März, Di-So 10-15 Uhr. In einer multimedialen Ausstellung informiert die Dokumentation über die Geschichte des Obesalzberges während der nationalsozialistischen Zeit.
- **Salzbergwerk**, ✆ 60020, Einfahrtszeiten: Mai-Mitte Okt. sowie Ostern, tägl. 9-17 Uhr; Mitte Okt.-April, Mo-Fr 12.30-15.30 Uhr; Floßfahrt über den Salzsee, Filmvorführung. Die Besichtigung unter fachkundiger Führung dauert eine Stunde. Auf Grubenwägen und in die traditionelle Bergmannstracht gekleidet fahren Sie in die Grube ein.

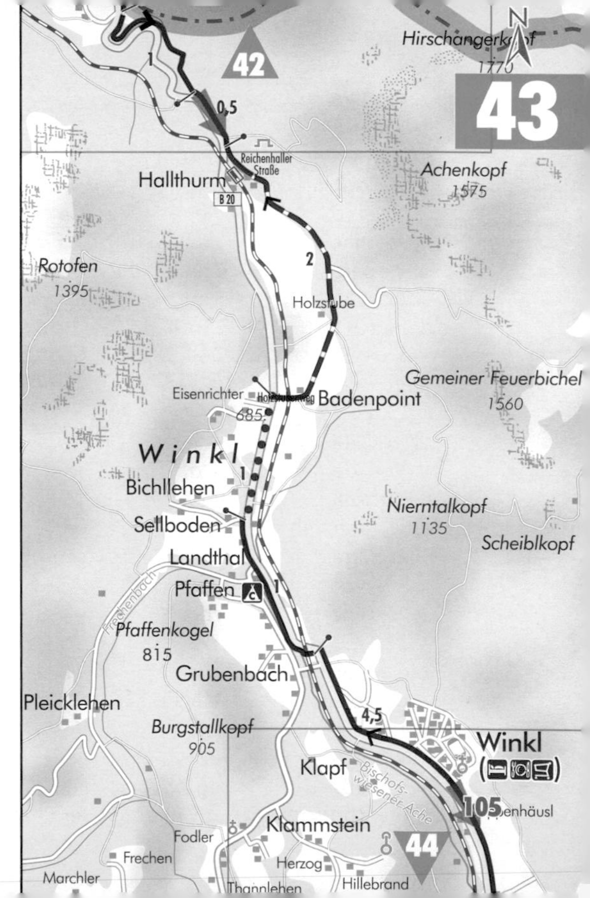

- **Königliches Schloss**, Schlosspl. 2, ✆ 947980, ÖZ: ganzjährig. Die Kunstsammlung umfasst Werke, Plastiken, Mobiliar, Tapisserien und Nymphenburger Porzellan vom 15. - 19. Jh.
- Der historische **Orstkern** von Berchtesgaden ist reich an Plätzen, Bürgerhäusern und anderen Sehenswürdigkeiten.
- Der **Watzmann** (2713 m) ist das Wahrzeichen der Stadt.
- Die wunderschöne Aussicht über das Berchtesgadener Land lohnt den Ausflug zum **Kehlsteinhaus**. Auffahrt Mai-Okt., Infos unter ✆ 967-0.
- **Nationalpark Berchtesgadener Land.** Infos erhalten Sie im Nationalparkhaus Berchtesgaden, Franziskuspl. 7, ✆ 64363, ÖZ: tägl. 9-17 Uhr. Ausstellung zur alpinen Natur, Videofilme, Diaschauen.
- **Erlebnisbad Watzmann Therme,** Bergwerkstr. 54, ✆ 94640. Abwechslungsreiche Badelandschaft mit Rutschen, Strömungskanal, Dampfbad, Sauna, Solarium.

Im Sommer residierten die bayerischen Könige im Königlichen Schloss in Berchtesgaden. Hoch über der Stadt erhebt sich das imposante Panorama des Watzmann. Die markante Ostseite fällt steil zum Königssee hin ab. Das Salz spielte in Berchtesgaden wie auch in Bad Reichenhall eine wichtige Rolle in der Entwicklung der Stadt. Die Sole wird auch an den Kurbetrieb der Stadt geliefert, wo sie stark verdünnt bei der Therapie von Hautkrankheiten zur Anwendung kommt. Zusammen mit dem Nationalpark Berchtesgadener Land gehört seit 1990 das gesamte Kurgebiet zum UNESCO-Biosphären-Reservat Berchtesgaden.

Berchtesgadener Land

Das Berchtesgadener Land ist ein Landkreis im Südosten Bayerns. Das Gebiet kann man als zweigeteilt betrachten. Im Norden ist es eher flach und mit einigen kleineren Seen versetzt. Der Süden des Berchtesgadener Landes liegt in den Bayrischen Alpen, hier befinden sich der Hintersee und der Königssee. Diese beiden Seen werden von Landschaftsmalern gerne verwendet und sind auch beliebte Tourismusziele. Ende des zweiten Weltkrieges war das Gebiet Fluchtziel für große Teile der Wehrmacht. Nicht nur Wehrmacht, sondern auch Sudetendeutsche und Deutsche aus Südosteuropa flüchteten sich vor der Roten Armee in das Berchtesgadener Land. Durch die vielen Deutschen aus Osteuropa, die in dem Gebiet blieben, kam es zu einem großen Aufschwung. Der Nationalpark Berchtesgaden ist heute zu einem Rückzugsraum für Tiere, Pflanzen und Menschen geworden. 1910 wurde das Gebiet wegen seines Reichtums an Pflanzenarten zum Pflanzenschonbezirk erklärt. 1921 kam der Tierschutz hinzu, das 20 000 Hektar große Naturschutzgebiet Königssee wurde errichtet. Schließlich wurde im Jahre 1978 der 21 000 Hektar große Nationalpark gegründet. Die Ziele sind der Schutz der Natur, die wissenschaftliche Beobachtung und Forschung und die Umweltbildung und Erholung.

Von Berchtesgaden zum Königssee — 6 km

Geradeaus vor bis zum Schlossgraben ~ durch den Schlossdurchgang ~ gleich danach links ~ nach der Fußgängerzone an der T-Kreuzung nochmals links in die **Bahnhofstraße** ~ leicht bergab ~ für die nächsten 500 Meter auf verkehrsreicher

Straße ⇝ ab der Ampel den breiten Gehsteig auf der Rechten benutzen ⇝ am Bahnhof vorüber ⇝ ⚠ gegenüber vom Bahnhof links ab Richtung Schönau ⇝ gleich darauf links in den **Achenweg** abzweigen ⇝ vor bis zum Parkplatz ⇝ über den Parkplatz direkt in den unbefestigten Rad- und Fußweg entlang der Königsseer Ache und diesem Weg folgen ⇝ vor der **Untersteinerstraße** wechselt man das Ufer ⇝ an der Kreuzung **Untersteinerstraße** geradeaus weiter auf dem Rad- und Fußweg parallel zur **Königsseer Ache** ⇝ am Café Waldstein und am Sportplatz vorüber ⇝ an der Querstraße beim Achenstüberl nach rechts und gleich darauf nach links abzweigen ⇝ zur rechten erblickt man die Häuser von Schönau am Königssee.

Schönau am Königssee

PLZ: 83471; Vorwahl: 08652

ℹ **Tourist-Information**, Rathauspl. 1, ✆ 1760, www.Koenigssee.com

Dem unbefestigten Königsseer Fußweg wieder folgen ⇝ an der Gabelung nach der Fußgängerbrücke rechts weiter zur Einmündung in die Querstraße beim **Campingplatz Grafenlehen** ⇝ nun zur Linken der Campingplatz ⇝ an der Querstraße nach dem Campingplatz

Bootshütten am Königssee

rechts und dann auf dem Fußweg links unter der Straßenbrücke hindurch ⇝ ⚠ Vorsicht Fußgänger - bitte Rücksicht nehmen! ⇝ weiter auf dem Königsseer Fußweg ⇝ an der Gabelung beim Gasthaus „Seeklause" rechts ⇝ das letzte Stück auf Aspahlt ⇝ an der Information Nationalpark vorüber zum großen Parkplatz und an zahlreichen Cafés und Hotels direkt zum herrlichen Königssee.

Königssee

PLZ: 83471; Vorwahl: 08652

⛴ **Schifffahrten über den Königssee** nach St. Bartholomä und Salet, Schifffahrt Königssee, Seestr. 55, ✆ 963618

⛪ **Wallfahrtskirche St. Bartholomä**

Der Radweg endet am Ortsbeginn ⇝ an der Parkplatzkasse vorüber ⇝ durch die verkehrsberuhigte Einkaufsstraße von Königssee direkt zum prächtigen Königssee.

Der Königssee, das Ziel Ihrer Radtour, ist einer der schönst gelegenen Seen in Bayern. Mit seinem smaragdgrünen, kristallklaren Wasser verleitet er zum grenzenlosen Träumen. Viele Maler wurden aufgrund des märchenhaften Ausblicks und der erfrischenden Vielfalt des Sees immer wieder aufs Neue inspiriert.

Das Wahrzeichen des Königssees, die Halbinsel St. Bartholomä, ist nur mit dem Schiff erreichbar. Die weltbekannte Wallfahrtskirche am Königssee liegt malerisch auf einer Halbinsel, nebenbei das ehemalige Jagdschlösschen. Am Ufer der Königssees ein weiteres historisches Schaustück, die Waldmach-Schiffshütten. Heute kann der See neuerdings auch mit Elektromotorboten befahren werden, der Umwelt zuliebe.

Binder
44
Zur schönen Aussicht
Salzwand
erschönau II
B 20
3
2
Krenn
Schwöb
Ligeretalm
Höllgraben
Unterschönau II
Unterschönau I
Schönau am Königssee
Scharitzkehlalm
Dürreck
Faselsberg
Mühlleiten
Jugenddorf
Artenreit
Koppenstein
Alpeltal-Haus
Hohenwart
Grünstein
1305
Brandkopf
1155
Göllhäusel
Königssee
Toffen
610
Hofreit
eiße Wand
Klingeralm
Nationalpark-Infostelle
Bob- und Rodelbahn
Mittelstation
Krautkaser Alm
Villa Beust
Malerwinkel
Rabenwand
Vogelstein
Schapbachboden
Kreuzelwand
Wasserfall Alm
Mitterkaserl Alm
Sommerbichel
1295
Strubkopf
1270
Strubalm
Jenner
1875
Kohlschlag
Kührointalm
Dienst-Hütte
Büchsen-Alm
1245
Königsbach-Alm
Lohmaishütte
Archenkopf
Im Echo
Wasserpalfen
Kessel
Farrenleitenwand
1715
Sillenköpfe
ooslahnerkopf
1090
Königssee
Gotzental-Alm
1460
Mooswand
Priesberg-Alm
Eiswinkel
Wallfahrtskirche St. Bartholomä
St. Bartholomä
St. Johann und Paul
Im Reitl
Kammerlwand
1520
Roßfeld-Alm
Aussichtspunkt Feuerpalfen
Tauernwandl
1860
Gotzen-Alm
Gotzentauern
Seeleinsee
Hochgschirr
Klausbergl
1705
Gotzenberg
Holzstube
1350
Laafeldwand
Kahlersberg
Regen-Alm
Dienst-Hütte
45
N
Salte-Alm
Mittersee

Alle mit dem Bett&Bike-Logo (🚲)gekennzeichneten Betriebe sind fahrradfreundliche Gastbetriebe und Mitglieder beim ADFC-Projekt „Bett&Bike". Sie erfüllen die vom ADFC vorgeschriebenen Mindestkriterien und bieten darüber hinaus so manche Annehmlichkeit für Radfahrer. Detaillierte Informationen finden Sie in den ausführlichen Bett&Bike-Verzeichnissen – diese erhalten Sie überall, wo's *bikeline* gibt.

Übernachtungsverzeichnis

Im Folgenden sind Hotels (H), Hotel garni (Hg), Gasthöfe (Gh), Pensionen (P), private Unterkünfte (Pz), Bauernhöfe (Bh), Heuhotels (Hh), einige Ferienwohnungen (Fw) aber auch Jugendherbergen (JH) und Campingplätze (⛺) der meisten Orte entlang des Bodensee-Königssee-Radweges angeführt. Für Varianten gilt dies selbstverständlich auch. Die Orte sind nicht in alphabetischer Reihenfolge, sondern analog zur Streckenführung aufgelistet.

Das Verzeichnis erhebt keinen Anspruch auf Vollständigkeit und stellt keine Empfehlung der einzelnen Betriebe dar! Wichtiges Auswahlkriterium ist die Nähe zur Radroute und zu den Stadtzentren. Die römische Zahl (I-VI) nach der Telefonnummer gibt die Preisgruppe des betreffenden Betriebes an. Folgende Unterteilung liegt der Zuordunung zugrunde:

I	unter € 15,–		
II	€ 15,–	bis	€ 23,–
III	€ 23,–	bis	€ 30,–
IV	€ 30,–	bis	€ 35,–
V	€ 35,–	bis	€ 50,–
VI	über € 50,–		

Die Preisgruppen beziehen sich auf den Preis pro Person in einem Doppelzimmer mit Dusche oder Bad incl. Frühstück. Übernachtungsbetriebe mit Zimmern ohne Bad oder Dusche, aber mit Etagenbad, sind durch das Symbol ✗ nach der Preisgruppe gekennzeichnet.

Da wir das Verzeichnis stets erweitern, sind wir für Ihre Anregungen dankbar. Die einfache Eintragung erfolgt für die Betriebe natürlich kostenfrei.

Lindau

PLZ: 88103; Vorwahl: 08382

ℹ Verkehrsverein e.V. , Ludwigstr. 68, ✆ 260030

Lindau Insel:

H Reutemann/Seegarten, Seepromenade, ✆ 9150, VI
H Pension Noris, Brettermarkt 13, ✆ 3645, IV-V
H Bayerischer Hof, Seepromenade, ✆ 9150, VI
H Wellnes-Hotel Helvetia, Seepromenade 3, ✆ 9130, V-VI
H Insel-Hotel, Maximilianstr. 42, ✆ 5017, V-VI 🚲
H Lindauer Hof, Seepromenade, ✆ 4064, VI
H Seegarten, Seepromenade, ✆ 9150, V-VI
H Gasthof Stift, Stiftspl. 1, ✆ 93570, V
H Schreier am See, Färbergasse 2, ✆ 944484, VI
H Pension Seerose, Auf der Mauer 3, ✆ 24120, IV-V
Hg Peterhof, Schafgasse 10, ✆ 93220, III-V
Hg Spiegel, In der Grub 1, ✆ 94930, V-VI
Hg Möve, Auf der Mauer 21, ✆ 948777, IV-V
Hg Viktoria, Auf der Mauer 27, ✆ 6278, IV-V
Hg Brugger, Bei der Heidenmauer 11, ✆ 93410, V
Hg Vis-à-vis, Bahnhofplatz 4, ✆ 3965, V
Gh Alte Post, Fischerg. 3, ✆ 93460, V-VI
Gh Engel, Schafg. 4, ✆ 5240, V
Gh Inselgraben, Hintere Metzgerg. 4-6, ✆ 5481, V 🚲
Gh Ratsstuben, Ludwigstr. 7, ✆ 6626, V
Gh Goldenes Lamm, Schafgasse 3, ✆ 5732, V
P Anker, Binderg. 15, ✆ 6613, V
P Gästehaus Lädine, In der Grub 25, ✆ 5326, III
P Gästehaus Limmer, In der Grub 16, ✆ 5877, II

Schachen:

H Bad Schachen, Bad Schachen 1-5, ✆ 2980, VI
H Parkholtel-Café Eden, Schachener Str. 143, ✆ 5816, V
H Lindenhof, Dennenmoos 3, ✆ 93190, V-VI 🚲
H Schachener Hof, Schachener Str. 76, ✆ 3116, V
H Schachen-Schlössle, Enzisweilerstr. 1-7, ✆ 948560, V
Hg Ebnet, Johannesweg 3, ✆ 2772700, V

Bechtersweiler:

H Landhotel Martinsmühle, Bechtersweiler 25, ✆ 5849, IV-V 🚲

Zech:

H Hotelpension Nagel, Bregenzer Str. 193a, ✆ 96085, V
⛺ Park-Camping Lindau am See, Fraunhoferstr. 20 (März-Sept.), ✆ 72236 🚲
Gh Zecher, Bregenzer Str. 146, ✆ 961330, III-IV

Oberreitnau:

Gh Adler, Bodenseestr. 16, ✆ 5268, III-IV
Gh Grüner Baum, Bodenseestr. 14, ✆ 5552, III
Gh Seeblick, Unterreitnauer Str. 50a, ✆ 4484, III
Gh Ziegler, Bodenseestr. 31, ✆ 5410, IV-V

Rickartshofen:

P Schmid, Rickartshofen 18, ✆ 22792, III 🚲

Aeschach:

H Am Holdereggenpark, Giebelbachstr. 1, ✆ 6066, V
H Café Ebner, Friedrichshafener Str. 19, ✆ 93070, V
Hg Villa Schöngarten, Schöngartenstr. 15, ✆ 93400, V
Hg Toscana, Am Aeschacher Ufer 14, ✆ 3131, V
Hg Am Rehberg, Am Rehberg 29, ✆ 3329, V-VI
Gh Wackerstuben, Wackerstr. 7, ✆ 3216, III
Gh Aeschacher Hof, Ludwig-Kick-Str. 2, ✆ 6545, II-III

P Gästehaus Grimm, Karl-Sting-Str. 10, ✆ 5147, II-III

Schönau:

Hg Bulligan, Schönauer Str. 97, ✆ 94800, IV-V

Gh Kellereistüble, Kellereiweg 1a, ✆ 3381, III

Reutin:

H Reutiner Hof, Kemptener Str. 94, ✆ 977070, IV-V

H Bräuhotel Steig, Steigstr. 31, ✆ 78066, V-VI

H Restaurant Freihof, Freihofstr. 2, ✆ 969870, V-VI

H Bodensee-Hotel Lindau, Rickenbacher Str. 2, ✆ 96700, V

Hg Reulein, Steigstr. 28, ✆ 96450, VI

Gh Köchlin, Kemptener Str. 41, ✆ 96600, V

Gh Montfort Schlößle,Streitelsfinger Str. 38, ✆ 72811, III

P Gästehaus Sommerland, Bregenzer Str.16, ✆ 3736, III

Jugendherberge Lindau (DJH), Herbergsweg 11, ✆ 96710

Hoyren:

P Landhaus Mayer, Schönauer Str. 31, ✆ 936161, II-III

Hochbuch:

P Gästehaus Breyer, Eichbühlweg 37, ✆ 5840, III

Bosenreutin

Vorwahl: 08389

Pz Burlefinger Rosa, Im Greit 1, ✆ 776, I

Pz Nitsch Otto, Bodenseestr. 29, ✆ 611, I

Pz Martin Ernst, Zeisertsweiler 14, ✆ 459, I

Pz Detsch Anton, Tobelstr. 4, ✆ 08382/78574, II

Sigmarszell

Vorwahl: 08389

Bh Fäßler Emil, Hubers 1, ✆ 210, I

Bh Kern Edgar, Zellerstr. 11, ✆ 98156, II

Niederstaufen

Vorwahl: 08381

Pz Vogler Wilhelm, Kinberg 5, ✆ 1476, I

Hergensweiler

PLZ: 88138; Vorwahl: 08388

Verkehrsverein, ✆ 217

Gh Sonne, Dorfstr. 7, ✆ 205, II

Pz Landhaus Breg, Mollenberg 7, ✆ 360

Pz Gästehaus Merk, Rosshimmel 4, ✆ 340, II

Pz Fechting, Scheidenweiler, ✆ 258, II

Pz Geiselmann, Altmannstr. 5, ✆ 511

Pz Kreszentia, Rupolzer Str. 14, ✆ 307, I

Obernützenbrugg

Vorwahl: 08385

Gh Bikermühle, Gasthof Adler, Obernützenbrugg 2, ✆ 273

Wigratzbad

PLZ: 88145; Vorwahl: 08385

Pz Haus Rädler, Kapellenweg 3, ✆ 328, III

Gestratz

PLZ: 88167; Vorwahl: 08383

Gemeinde Gestratz, Schulstraße 1, ✆ 223

P Schneider, Rutzen 53, ✆ 361, I-II

Fw Hagg, Brugg 33, ✆ 7721, II

Hochglend:

P Kimpfler, Hochglend 65, ✆ 434, I

Altensberg

PLZ: 88167; Vorwahl: 08383

P Cafe Roth, ✆ 7158

P Altensberg, Altensberg 25, ✆ 7158, II

Stiefenhofen

PLZ: 88167; Vorwahl: 08383

Gh Landgasthof Rössle, Hauptstr. 14, ✆ 92090, III

Oberstaufen

PLZ: 87534; Vorwahl: 08386

Kurverwaltung im Haus des Gastes, Hugo-von-Königsegg-Str. 8, ✆ 93000

H Adler, Kirchpl. 6, ✆ 93210, V-VI

H Adula, Argenstr. 7, ✆ 93010, V

H Allgäu Sonne, Am Stießberg 1, ✆ 7020, VI

H Allgäuer Hof, Kalzhofer Str. 19, ✆ 4870, V-VI

H Allgäuer RosenAlp, Am Lohacker 5, ✆ 7060, VI

H Alpenhof, Gottfried-Resl-Weg 8, ✆ 4850, V-VI

H Alpenkönig, Kalshofer Str. 25, ✆ 93450, VI

H Am Rathaus, Schlossstr. 6, ✆ 93350, V

H Aventurin, Weissachstr. 19, ✆ 2195, III-IV

H Bingger, Lindauer Str. 17, ✆ 93180, III-IV

H Diana, Unterm Schloss 2, ✆ 4880, V-VI

H Löwen, Kirchpl. 8, ✆ 4940, V-VI

H Olympia, Bgm.-Wucherer-Str. 15, ✆ 2077, V

H Sonneneck, Am kühlen Grund 1, ✆ 4900, VI

H Kurhotel Gross, Hochbühlstr. 10, ✆ 2056

H Vital- und Golfhotel Hochbühl, Auf der Höh 12, ✆ 93540

H WellVital-Hotel Bad Rain, Hinterstaufen 9, ✆ 93240

H Kronenhof, Bgm.-Hertlein-Straße 12, ✆ 4890

Hg Tanneck, Am Mühlen Grund 4, ✆ 93400

Hg Parkblick, Kapfweg 11, ✆ 93370

P Eberle, Falkenweg 5, ✆ 961032

P Edeltraut, Hochbühlstr. 6, ✆ 1718, II

P Elisabeth, Berg 6, ✆ 2754, II

P Beim Dannelar 1, ✆ 4277, IV-V

P Isolde, Am Seelesgraben 2, ✆ 1659, V-VI

P Lingg, Lindauer Str. 20, ✆ 369, III

P Staufen, Hochbühlstr. 4, ✆ 1770, III

Pz Aichele, Vorderreute 12, ✆ 2874, I-II

Pz Alger, Am Anger 12, ✆ 8018, III

Pz Berger, Ifen 6, ✆ 2911, II

Pz Hutter, Berg 4, ✆ 4550, I-I

Camping Aach, Aach 1, ✆ 363, (ganzjährig)

Wengen

PLZ: 87534; Vorwahl: 08386

H Alpe Wengen, Wengen 8, ✆ 2219, ✆ V

P Ferienalpe, Wengen 7, ✆ 962063, II-III

Salmas

PLZ: 87534; Vorwahl: 08325

P Dorner, Salmas 24, ✆ 598, II

Thalkirchendorf

PLZ: 87534; Vorwahl: 08325

H Mönch-Klause, Kirchdorfer Str. 2, ✆ 927490, III

H Traube, Kirchdorfer Str. 12, ✆ 9200, V-VI

P Hummel-Stiefenhofer, Alte Schulstr. 8, ✆ 565, II

Pz Amann, Mühlenweg 5, ✆ 370, II-III

Pz Henseler, Am Schwandweg 3, ✆ 220, II

Konstanzer

PLZ: 87534; Vorwahl: 08325

H Konstanzer Hof, Konstanzer 1, ✆ 9230, III

P Gnadl, Konstanzer 2, ✆ 218, II

P Himmeleck, Konstanzer 16, ✆ 237, III

P Sabine, Konstanzer 46, ✆ 1391, II-III

Immenstadt

PLZ: 87509; Vorwahl: 08323

Gäste-Information, Seestr. 5, ✆ 914178

Gäste-Information, Marienplatz , ✆ 914176

H Hirsch, Hirschstr. 11, ✆ 6218, V-VI

H Lamm, Kirchpl. 2, ✆ 6192, III-V

Hg Goldener Adler, Marienpl. 14, ✆ 8549, II-IV

H Steineberg-Steigbachstuben, Edmund-Probst-Str. 1, ✆ 96460, IV-V

Gh Drei König, Marienpl. 11, ✆ 8628, III-IV

P Schwarzer Adler, Landwehrpl. 1, ✆ 6224, II-III

P Smieja, Kalvarienbergstr. 33, ✆ 8363, II

Pz Bufler, Liebherrstraße, ✆ 8146, II

Pz Glattes, Kemptener Str. 37, ✆ 6322, II

Pz Neber, Königseggstr. 17, ✆ 1433, II

Bucher's Camping, Seestr. 25, ✆ 7726

Rettenberg

PLZ: 87549; Vorwahl: 08327

Gäste- und Sportamt, Burgberger Str. 15, ✆ 93040

H Adler-Post, Burgberger Str. 8, ✆ 226

H St. Stephan, Bichelweg 1, ✆ 325
P Jägerwinkel, Kirchstr. 4, ✆ 488
Bh Birker, Bichel 8, ✆ 7433

Kranzegg

PLZ: 87549; Vorwahl: 08327
Gh Jagdhütte, Senthofener Str. 15, ✆ 503
Gh Berggasthof Kranzegg, Alpweg 17, ✆ 270 (zirka 220 Höhenmeter über dem Ort situiert)
P Grünterhof, Sonthofener Str. 17, ✆ 324
P Geiß, Sonthofener Str. 12, ✆ 7657
Bh Zeller, Reichener Str. 2, ✆ 282

Haag

PLZ: 87466; Vorwahl: 08366
Gh Haag, Haag 5, 984959

Oy

PLZ: 87466; Vorwahl: 08366
H Tannenhof, Tannenhofstr. 19, ✆ 552, VI
H Am Sonnenhang, Sebastian-Kneipp-Weg 2, ✆ 98218, III
Gh Ratskeller, Hauptstr. 18, ✆ 428, III
Gh Rössle, Mittelberger Str. 2, ✆ 998100, III
P Allgäu, Maria-Rainer-Str. 7, ✆ 1221, II-III
P Sonnenbichl, Sonnenbichl 48, ✆ 9358, IV
P Schobert, Siedlungsstr. 2, ✆ 322, II
Pz Probst, Poststr. 2, ✆ 1086, I
Pz Böckeler, Maria-Rainer-Str. 4, ✆ 1200, I

Mittelberg

PLZ: 87466; Vorwahl: 08366
Gh Krone, Dorfbrunnenstr. 2, ✆ 214, III-IV
P Rose, Dorfbrunnenstr. 10, ✆ 98200, III-IV
P Eckstein, Lindenstr. 4, ✆ 249, II-III
P Posthansl, Alois-Wagner-Str. 22, ✆ 98300, II
P Ries, Lindenstr. 3, ✆ 827, II
Pz Martha, Mühlbachstr. 7, ✆ 1235, I

Haslach

PLZ: 87466; Vorwahl: 08361
Gh Wertacher Hof, Güntenseestr. 10, ✆ 594, II-III
Bh Mühlegghof, Florianstr. 3 u. 5, ✆ 3367 od. 1415, I
Bh Werner, Grüntenseestr. 2, ✆ 1525, II
Wertacher Hof, ✆ 770

Guggemoos

PLZ: 87466; Vorwahl: 08361
P Schnakenhöhe, Guggemoos 16 1/2, ✆ 1553, II
Pz Rasch, Guggemoos 11, ✆ 3574, I

Maria-Rain

PLZ: 87466; Vorwahl: 08361
H Sonnenhof, Kirchweg 3, ✆ 92140, III-IV
H Maria-Rain, Lärchenweg 3, ✆ 92260, II-V
P Alpenblick, Alpenweg 10, ✆ 3561, I-II
P Allgayer, Bucher Str. 10, ✆ 3368, I
Bh Riefler, Rainen 2, ✆ 732, I
Bh Haug, Wanger Weg 12, ✆ 573, I

Nesselwang

PLZ: 87484; Vorwahl: 08361
Tourist-Information, Lindenstr. 16, ✆ 923040
H Alpenrose, Jupiterstr. 9, ✆ 92040, V-VI
Gh Brauerei-Hotel Post, Hauptstr. 25, ✆ 30910, V
H Cristallhotel Marianne, Römerstr. 11, ✆ 3218, IV-V
H Gästehaus Stimpfle, Jupiterstr. 7, ✆ 92010, IV-V
H Ferienhotel Aopspitz, Badeseeweg 10, ✆ 3030, IV-V
P Gästehaus Annabell, Jupiterstr. 5, ✆ 925807, III-IV
P Bergblick, Jupiterstr. 3, ✆ 3682, III
P Gästehaus Brenner, Venusstr. 5, ✆ 3505, II-III
P Schürer, Bahnhofstr. 17, ✆ 3252, II-III
P Haus Riefler, Venusstr. 14, ✆ 3349, II
P Haus Weidach, Fichtenstr. 13, ✆ 591, II
Pz Gästehaus Kerpf, Jupiterstr. 10, ✆ 1559, II
Pz Czernoschek, Sonnenstr. 18, ✆ 456, I-II

Pz Angerer, Von-Lingg-Str. 27, ✆ 3181, I
Pz Riedl, Fichtenstr. 9, ✆ 3375, I

Eisenberg

PLZ: 87637; Vorwahl: 08364
Touristik-Information, Pröbstener Str. 9, ✆ 1237
Burghotel Bären, ✆ 08363/927130, IV-V
Gh Gockelwirt, Pröbstener Str. 23, ✆ 830, V
P Pfeffermühle, Pröbstener Str. 5, ✆ 8264

Speiden

PLZ: 87637; Vorwahl: 08364
P Christine, ✆ 1073 od. 8532, III

Hopferau

PLZ: 87659; Vorwahl: 08364
Gästeinformation, Hauptstr. 8, ✆ 8548
H Schloss Hopferau, Schloßstr. 9, ✆ 984890
Gh Engel, ✆ 312, III-IV

Hopfen am See

PLZ: 87629; Vorwahl: 08362
Tourist Information, Uferstr. 21, ✆ 7458
H Alpenblick, Uferstr. 9-10, ✆ 50570, VI
H Eggensberger, Enzensbergstr. 5, ✆ 91030, VI
H Geiger, Uferstr. 18, ✆ 7074, V-VI
Hg Fam. Hartung, Uferstr. 31-32, ✆ 91545, II-III
P Guggmos am See, Uferstr. 11, ✆ 38179, II-III
P Haus Edelweiss, Uferstr. 28-29, ✆ 7316, II
P Fichtl, Höhenstr. 23, ✆ 7755, II
P Haus Priesching, Rotmoosweg 3, ✆ 37098, II
P Haus Weber, Uferstr. 43, ✆ 6532, II
Pz Gästehaus Heubaum, Am Kirchgässchen 3, ✆ 3184, II
Pz Falb, Ringweg 1, ✆ 7848, II
Pz Appartementhaus Claudia, Enzensbergstraße 4 a, ✆ 7115
Bh Messmer, Erkenbollingen 105, ✆ 2332, I
Int. Campingplatz Hopfensee, ✆ 917710

Füssen

PLZ: 87629; Vorwahl: 08362
Tourist-Information, Kaiser-Maximilian-Platz 1, ✆ 93850
H Filser, Säulingstr. 3, ✆ 91250, IV-V
H Zum Hechten, Ritterstr. 6, ✆ 91600, IV
H Kurcafé, Bahnhofstr. 4, ✆ 6369, IV
H Luitpoldpark, Luitpoldstraße, ✆ 9040, VI
H Sommer, Weidachstr. 74, ✆ 91470, VI
H Sonne, Reichenstr. 37, ✆ 9080, V
H Bräustüberl, Rupprechtstr. 5, ✆ 7843, V
H Christine, Weidachstr. 31, ✆ 7229, V-VI
H Eiskristall, Birkstr. 3, ✆ 507812, V
H Hirsch, Kaiser-Maximilian-Pl. 7, ✆ 93980, V-VI
Hg Elisabeth, Augustenstr. 10, ✆ IV-V
Hg Am Forggensee, Weidachstr. 69, ✆ 3636, II-III
Hg Fürstenhof, Kemtener Str. 23, ✆ 7006, III-IV
Hg Alpenhof, Theresienstr. 8, ✆ 3232, III-IV
Hg Kapuziner, Schwangauer Str. 20, ✆ 7744, III-IV
P Schanzenstüberl, Kemptener Str. 109, ✆ 0171/8082094, II-III
P Kössler, Kemtener Str. 42, ✆ 7304, III
P Haus Schwarzenberg, Ziegelwiesstr. 15, ✆ 1690, III
P Haus Hubertus, Frauensteinweg 55, ✆ 6923, II
P Haus Lutz, Frauensteinweg 54, ✆ 6419, II
P Zenta Samlaska, Drehergasse 32, ✆ 2775, II
Pz Driendl, An der Achenmühle 2, ✆ 6362, I-II
Pz Fischer, Dierlingstr. 14, ✆ 1544, I
Pz Höbel, Frauensteinweg 42c, ✆ 2950, I-II
Pz Ponderosa, An den Filzteilen 1, ✆ 940491, I-II
Pz Klatt, Augustenstr. 19, ✆ 2745, II
Pz Haus Böck-Raith, Luitpoldstr. 10, ✆ 7934, II
Pz Haus Lerch, Frauensteinweg 48/Kienbergweg 3, ✆ 1653, I-II
Pz Haus Rösel, Kreuzkopfstr. 4, ✆ 6653, II
Pz Vorbrugg, Venetianerwinkel 3, ✆ 38485, II
Pz Wagner, Von-Freyberg-Str. 67, ✆ 2115, I-II

Pz Guggemos, Glückstr. 6, ✆ 4470, I-II
Mariahilferstr. 5, ✆ 7754

Bad Faulenbach:

H Kurklinik Notburga, Kapellenberg 2, ✆ 410, VI
H Wiedemann, Am Anger 3, ✆ 91300, IV-V
H Jakob, Schwärzerweg 6, ✆ 91320, IV-V
H Berger, Alatseestr. 26, ✆ 91330, V-VI
H Frühlingsgarten, Alatseestr. 8, ✆ 91730, IV-V
H Parkhotel Bad Faulenbach, Am Fischhausweg 5, ✆ 91980, IV-VI
H Alpenschlössle, Alatseestr. 28, ✆ 4017, V-VI
H Ruchti, Alatseestr. 38, ✆ 91010, IV-V
P Elise, Alatseestr. 30, ✆ 93890, II
P Haus Edelweiss, Alatseestr. 24, ✆ 6376, II
P Zanghellini, Fischhausweg 1, ✆ 6380, II-III
Pz Haus Söhner, Alatseestr. 22, ✆ 7350, II
Pz Haus Waldeck, Alatseestr. 36, ✆ 5775, I-II
Jugendherberge, Mariahilferstr. 5, ✆ 7754
Internationaler Campingplatz Hopfensee, ✆ 7431

Schwangau

Vorwahl: 08362; PLZ: 87645
Gemeinde- und Tourist Information Schwangau, Münchener Str. 2, ✆ 81980
Gh Helmer, Mitteldorf 10, ✆ 9800, III-V
H König Ludwig, Kreuzweg 11-15, ✆ 8890, V-VI
H Neuschwanstein, Geblerweg 2, ✆ 8209, II-IV
H Weinbauer, Füssener Str. 3, ✆ 9860, IV-V
H Schwanstein, Kröb 2, ✆ 98390, IV-V
Gh Zur Post, Münchener Str. 5, ✆ 98218, III-V
Gh Hanselewirt, Mitteldorf 13, ✆ 8237, III-V
P Haus Martina, Am Jürgenfeld 16, ✆ 8506, III
P Haus Moni, Schlossstr. 8, ✆ 8080, II-III
P Landhaus Sonneck, Am Jürgenfeld 20, ✆ 8407, III-IV
P Charlotte, Füssener Str. 70, ✆ 8231, II-III
P Haus Fussenegger, Hiltepoltweg 7, ✆ 8376, III-IV
P Haus Tegelberg, Hiltepoltweg 2, ✆ 8374, II
P Unhoch, Achweg 12, ✆ 88161, II
Pz Landhaus Heel, Am Berg 2, ✆ 8068, II
Pz Landhaus Keck, Ahornweg 6, ✆ 8555, II
Pz Beim Bäremang, Mitteldorf 21, ✆ 8022, II
Pz Haus Heiserer, Mitteldorf 6, ✆ 8042, II
Pz Haus Hiesinger, Bullachbergweg 43, ✆ 8464, II
Pz Haus Ludwig, Staufenweg 10, ✆ 987398, II
Pz Haus Wiedemann, Geblerweg 1, ✆ 8248, II-III
Bh Augustinerhof, Füssener Str. 49, ✆ 8954, II
Bh Haus Velle/Guggemoos, Mitteldorf 16, ✆ 986508, II
Campingplatz Brunnen, Seestr. 81, ✆ 8273
Campingplatz Bannwaldsee, Münchener Str. 151, ✆ 93000

Hohenschwangau:

H Schlosshotel Lisl, Neuschwansteinstr. 1-3, ✆ 8870, VI
H Müller, Alpseestr. 16, ✆ 81990, V-VI
H Alpenhotel Meier, Schwangauer Str. 37, ✆ 81152, IV-V
H Alpenstuben, Alpseestr. 8, ✆ 98240, IV-V
Hg Schlossblick, Schwangauer Str. 7, ✆ 81649, III-V
P Albrecht, Pfleger-Rothut-Weg 2, ✆ 81102, III
P Weiher, Hofwiesenweg 11, ✆ 81161, II-III

Waltenhofen:

H Maximilian, Marienstr. 16, ✆ 9880, IV-VI
Gh Am See, Forggenseestr. 81, ✆ 93030, III-VI
P Haus Kristall, Kreuzweg 24, ✆ 8594, II-III
P Gerlinde, Forggenseestr. 85, ✆ 8233, III-IV
P Bergblick, Forggenseestr. 52, ✆ 8267, II
P Haus Köpf, Moarweg 3, ✆ 8791, II
Pz Moarhof, Moarweg 24, ✆ 8244, I-II
Bh Landhaus Ziller, Forggenseestr. 57, ✆ 8698, I

Brunnen:

H Huberhof, Seestr. 67, ✆ 81362, III-V
Gh Seeklause, Seestr. 75, ✆ 81091, III-IV
P Martini, Seestr. 65, ✆ 8257, III-V
Pz Haus im Weiler am See, Seestr. 58a, ✆ 81576, II
Pz Lutz, Seestr. 47, ✆ 8935, III
Pz Haus Mielich, Forggenseestr. 121, ✆ 8900, II
Bh Kotz, Seestr. 74, ✆ 8581, II
Bh Ponyhof Fischer, Seestr. 37, ✆ 8281, II
Bh Haus Helmer, Seestr. 59, ✆ 8255, I-II

Buching

PLZ: 87642; Vorwahl: 08368
H Bannwaldsee, Sesselbahnstr. 10, ✆ 9000, V-VI
Gh Geiselstein, Füssenener Str. 26, ✆ 260, III-V
Gh Schäder, Romantische Str. 16, ✆ 1340, V
Pz Mitzdorf Martina, Schulweg 2, ✆ 1093, II
Pz Kurz Siglinde, Sonnenstr. 22, ✆ 913894, II
Pz Gössling Anna, Sonnenstr. 6, ✆ 463, I-II
Pz Häringer Alfred, Hafenfeldweg 3, ✆ 523, I-II
Pz Krainhöfner Hanni, Bergstr. 2, ✆ 222, I-II

Berghof

PLZ: 87642; Vorwahl: 08368
H Berghof, Moorbadstr. 21, ✆ 91240, III-IV
P Alpenland, Falkenstr. 14, ✆ 699, II
Gh Zur Frohen Aussicht, Illasbergst. 17, ✆ 505, II
Pz Walk, Illasbergstr. 18, ✆ 1773, II

Halblech

PLZ: 87642; Vorwahl: 08368
Verkehrsamt, ✆ 285 od. 890
P Am Wildbach, In der Siedlung 47, ✆ 370, II-III
P Driendl, Kapellenweg 31, ✆ 1768, I
P Neumeier, Walter-Böttcher-Str. 5, ✆ 467, I-II
Gh Geiselstein, Füssner Str. 26, ✆ 260, III

Trauchgau

PLZ: 87642; Vorwahl: 08368
Gästeinformation, Bergstr. 2a, ✆ 285
H Sonnenbichl, Sonnenbichl 1, ✆ 91330, IV-V
Gh Hirsch, Kirchpl. 2, ✆ 274, II

Gh Sera, Unterreithen 1, ✆ 206, II
Gh Post, Steingadener Str. 1, ✆ 91300, V
Pz Helmer, Allgäuer Str. 9, ✆ 642, I-II
Pz Köpf, Reichenstr. 13, ✆ 623, II
Pz Krebentitscher Magdalena, Austr. 17, ✆ 605, I-II
Pz Lang Christof, Hochkreuthweg 11, ✆ 1079, I
Pz Lang Theresia, Badweg 2, ✆ 408, II
Pz Filser Cäcilia, Kirchpaltz 1, ✆ 347, II
Pz Büchl Irmgard, Branntweingasse 9, ✆ 676, II
Pz Heringer Elisabeth, ✆ 1255, I
Pz Tragl Elfriede, Poststr. 34, ✆ 1207, I-II

Unterreithen

Gh Sera, Unterreithen 1, ✆ 206, II

Saulgrub

PLZ: 82442; Vorwahl: 08845
Verkehrsverein, Dorfstr. 1, ✆ 520

Bad Kohlgrub

PLZ: 82433; Vorwahl: 08845
Kur- und Tourist-Information, Haus der Kurgäste, Hauptstr. 27, ✆ 74220
H Alpenhof, Fallerstr. 4, ✆ 130, IV-V
H Katherinenhof, Kehrerstr. 24, ✆ 140, IV-V
H Kur- und Vitalhotel Maximilian, Badstr. 13, ✆ 74780
H Gertraud, Kehrer Str. 22, ✆ 850, II-IV
H Werdenfelser Kurbad, Hauptstr. 18, ✆ 476, II
H Pfeffermühle, Tilllerweg 10, ✆ 74060, III-IV
P Haus Bavaria, Trillerweg 1, ✆ 74710, II
P Rose, Erlerstr. 3, ✆ 9238, II
P Hörnleblick, Fallerstr. 6, ✆ 8185, II
P Kohlerhof, Gmeinaustr. 2, ✆ 9123, II
P Haus Melodie, St.-Rochus-Str. 18, ✆ 523, III
P Gästehaus am Kurpark Gehrenstr. 12, ✆ 9420, II-III
P Eichengrund, Kienzlerweg 9, ✆ 1796, II
P Alpina, Ludwigstr. 7, ✆ 74070, II
P Hibler, Ludwigstr. 5, ✆ 74050, II
P Alpenblick, Murnauer Str. 16, ✆ 337, II
P Socher, Kollerstr. 2, ✆ 354, II
P Lengdobler, St.-Martin-Str. 9, ✆ 399, II
P Haus Fernblick, Kehrerstr. 15, ✆ 466, II
P Ziener, Hauptstr. 43, ✆ 9084, I-II
P Bauer, Schmiedstr. 3, ✆ 348, II
P Haus Maria, Trillerweg 2, ✆ 8822, II
P Sonn´hügel, Trillerweg 12, ✆ 408, II-III
Pz Baumgartl, Trillerweg 8, ✆ 9155, II
Pz Schedler, St.-Martin-Str. 20, ✆ 9293, II

Sonnen:

P Sonnenbichlhof, Sonnen 93b, ✆ 74010, II
P Sonnenuhr, Sonnenstr. 14, ✆ 329, II
Pz Schlickerhof, Sonnen 94, ✆ 1778, I-II

Grafenaschau

PLZ: 82445, Vorwahl: 08841
P Cafe Habersetzer, Aschauer Str. 1, ✆ 49855, III

Eschenlohe

PLZ: 82438; Vorwahl: 08824
Verkehrsamt, Murnauer Str. 1, ✆ 8228
H Tonihof, Walchenseestr. 42, ✆ 92930, V-VI
H Wengerer Hof, Wengen 1, ✆ 92030, IV
H Zur Brücke, Loisachstr. 1, ✆ 210, IV
Gh Alter Wirt, Dorfpl. 4, ✆ 1406
P Villa Bergkristall, Walchenseestr. 33, ✆ 632, IV
Pz Kramer, Krottenkopfstr. 48, ✆ 8220, II
Pz Haus Almfried, Krottenkopfstr. 57, ✆ 8216, II
Pz Pongratz, Gamischer Str. 50, ✆ 8567, II
Pz Wörner, Gamischer Str. 32, ✆ 1432, II

Ohlstadt

PLZ: 82441; Vorwahl: 08841
Verkehrsamt Ohlstadt, Rathausplatz 1, ✆ 7480
H Alpenblick, Heimgartenstr. 8, ✆ 79705, V
H Alpengasthof Ohlstadt, Weichser Straße 5, ✆ 6707-0, II-III
P „Illingstoa" Gasthof , Hauptstr. 6, ✆ 7355, IV-V
Gh Kögler, Pointweg 6, ✆ 7009, II
Pz Ambrugger Veronika, Heimgartenstr. 23, ✆ 7074, I
Pz Arnold Agathe, Hauptstr. 11, ✆ 7418, I
Pz Arnold Johanna, Hagrainstr. 21, ✆ 7527, II
Pz Beil Josefa, Heimgartenstr. 1, ✆ 7506, I
Pz Alois Benedikt, Hauptstr. 16, ✆ 7223, II
Pz Brunner Agnes, Zugspitzstr. 7, ✆ 7834, II
Pz Fischer Barbara, Am Dorfbach 2, ✆ 7469, II
Pz Gaisreiter Gisela, Bahnhofweg 16, ✆ 7447, I
Pz Hoffmann Maresi, Am Eichholz 3, ✆ 7137, II
Pz Geiger Rosi, Simmersbergweg 1, ✆ 7836, II
Pz Marlis Schöttl, Bahnhofweg 3, ✆ 7188, II
Pz Leis Rosemarie, Unterdorfstr. 13, ✆ 7165, I
Pz Mayer Anna, Weichser Str. 2, ✆ 7007, II

Pz Mühböck Maria, Schulstr. 5, ✆ 7498, I
Pz Schmid Kathi, Wankstr. 1, ✆ 7390, I
Pz Utzschneider-Mayer Lilo, Bichelrainweg 5, ✆ 7410, II
Pz Thompson Katharina, Schwaigweg 9, ✆ 7425, I
Pz Winhart Katharina, Josefstr. 14, ✆ 7456, II
Pz Wurzer Johanna, Partenkirchner Straße 17, ✆ 7081, I
Hh Bartlmämühle, Armin Krattenmacher, am Ortseingang von Ohlstadt, ✆ 7244, I (Frühstück gegen Aufpreis)

Großweil

PLZ: 82439; Vorwahl: 08851
Tourist Info Kochel am See, Kalmbachstr. 11, ✆ 338

Kochel am See

PLZ: 82431; Vorwahl: 08851
Tourist Info, Kalmbachstr. 11, ✆ 338
H Alpenhof Postillion, Kalmbachstr. 1, ✆ 1820, V-VI
H Grauer Bär, Mittenwalder Str. 82, ✆ 92500, V-VI
H Herzogstand, Herzogstandweg 3, ✆ 324, IV-V
H Zur Post, Schmied-v.-Kochel-Pl. 6, ✆ 92410, IV-V
H Waltraut, Bahnhofstr. 20, ✆ 333, III-IV
P Egner, Herzogstandweg 23, ✆ 228, II-III
Pz Suttner, Von-Aufseß-Weg 11, ✆ 5758, I-II
Bh Gästehaus Angerhof, Am Kleinfeld 18, ✆ 397, I-II
Bh Gästehaus Mayrhof, Bahnhofstr. 2, ✆ 5215, I-II
Bh Christlhof, Schmied-v.-Kochel-Pl. 2, ✆ 5906, I-II
Bh Danner, Schlehdorfer Str. 14, ✆ 5154, I-II,
Badstr. 2, ✆ 5296
Campingplatz Kesselberg, Altjoch 21/2, ✆ 464
Campingplatz Renken, Mittenwalder Str. 106, ✆ 5776

Benediktbeuern

PLZ: 83671; Vorwahl: 08857
Gemeinde Benediktbeuern, Prälatenstr. 7, ✆ 913-0
Miriam, Bahnhofstr. 58, ✆ 9050
Gh Zur Post, Dorfpl.1, ✆ 338

Bad Heilbrunn

PLZ: 83670; Vorwahl: 08046
Gästeinformation, Wörnerweg 4, ✆ 323
H Kilian, Kilianspl. 5, ✆ 916901, V
H Kronschnabl, Adelheidstr. 5, ✆ 249, V
H Oberland, Wörnerweg 45, ✆ 91830, III-V
H Reindlschmiede, Reindlschmiede 8, ✆ 285, IV-V
P Waldrast, Lindenweg 25, ✆ 1333, III-IV
P Ramsau, Ramsau 6, ✆ 1481, III-IV
P Roseneck, Badstr. 12, ✆ 419, II-III
P Sonnenhügel, Malachias-Geiger-Weg 5, ✆ 1297, III

Bad Tölz

PLZ: 83646; Vorwahl: 08041
Tourist-Information, Max-Höfler-Platz 1, ✆ 78670.
H An der Sonne, Ludwigstr. 12, ✆ 6121, IV-V
H Altes Fährhaus, An der Isarlust 1, ✆ 6030, V
H Alte Einbachmühle, Einbach 119, ✆ 804664, IV-V
H Klammerbräu, Marktstr. 30, ✆ 9690, III-IV
H Jodquellenhof-Alpamare, Ludwigstr. 13-15, ✆ 5090, VI
H Am Wald, Austr. 39, ✆ 78830, III-IV
H Leonhardihof, Seppstr. 6, ✆ 2818, III-IV
H Alpenhof, Buchener Str. 14, ✆ 78740, V
H Kolbergarten, Fröhlichgasse 16, ✆ 78920, V-VI
H Pichler, Angerstr. 21-23, ✆ 3538, V
H Salett'l im Oberbräu, Marktstr. 39, ✆ 799610, IV
H Milano, Salzstr. 18, ✆ 799881, III-V
H Waldherr am Wald, Kogelweg 1, ✆ 76950, V
H Tannenberg, Tannenbergstr. 1, ✆ 76650, IV-VI
H Eberl, Buchener Str. 17, ✆ 78720, V-VI
H Bellaria, Ludwigstr. 22, ✆ 80080, V
H Zantl, Salzstr. 31, ✆ 9794, III-IV
H Posthotel Kolberbräu, Marktstr. 29, ✆ 76880, V-VI
H Tölzer Hof, Rieschstr. 21, ✆ 8060, V-VI
H Das Schlössl, Schützenstr. 23, ✆ 78110, III-V
H Lindenhof, Königsdorfer Str. 24, ✆ 794340, V-VI
H Ferienhotel Haus Maximilian, Seppstr. 5, ✆ 793430
Hg Alexandra, Kyreinstr. 13, ✆ 78430, V
Hg Iris, Buchener Str. 26, ✆ 78360, V
Gh Günerbräu, Marktstr. 8, ✆ 6091, IV
Gh Altes Zollhaus, Benediktbeurerstr. 7, ✆ 9749, IV
Gh Zantl, Salzstr. 31, ✆ 9794, III-IV
P Am Kurpark, Annastr. 2, ✆ 9757, III
P Leonhardihof, Seppstr. 6, ✆ 2818, III-IV
P Peterhof, Bergweg 4-6, ✆ 3749, IV-V
P Am Wald, Austr. 39, ✆ 78830, III-IV
P Isartal, Merzstr. 3, ✆ 8642, III-IV
P Geiger, Höckhstr. 9, ✆ 9628, IV
P Franziska, Höckhstr. 20, ✆ 1032, II-III
P Rosa, Seppstr. 10 ✆ 760070, III
P Anneliese, Höckhstr. 1, ✆ 3625, II-III
P Chalet Card, Merzstr. 9, ✆ 41442, III
P Eberl, Buchener Str. 23, ✆ 9762, II
P Kogel, Kogelweg 16, ✆ 4802, III
P Rosl, Ludwigstr. 21, ✆ 3626, II
P Gästehaus Sibylle, Zollhausweg 2, ✆ 9597, II
P Grüneck, Bergweg 1, ✆ 3683, II
P Marienhof, Bergweg 3, ✆ 7630, III-V
P Chalet Card, Merzstr. 9, ✆ 41442, II-III
Bh Dislhof, Wackersberger Str. 34, ✆ 5107, I
Pz Haus im Waldwinkel, Wackersbergerstr. 4, ✆ 3608, I-II
Pz Haus Krinner, Ludwigstr. 28, ✆ 41528, III

Gmund am Tegernsee

PLZ: 83703; Vorwahl: 08022
Tourist-Information, Kirchenweg 6, ✆ 7505-27 od. ✆ 7505-35
H Feichtner Hof, Kaltenbrunner Str. 2, ✆ 96840 od. 968433, V-VI
Gh Am Gasteig, Münchener Str. 14, ✆ 7378 od. 76670, IV
Gh Weidenau, Tölzer Str. 136, ✆ 75421, III
Pz Mayer, Neureuthstr. 8, ✆ 75186, II
Bh Kainzehof-Fam. Riecke, Sakererweg 10, ✆ 7218, II-III

Gasse:

H Kistlerwirt, Schlieseer Str. 60, ✆ 968370, IV
Pz Bernöcker, Schlierseer Str. 22, ✆ 74226, I
Pz Gamperl, Schlierseer Str. 16, ✆ 7237, I-II
Bh Maroldhof, Andreas Scherer, Schlierseer Str. 23, ✆ 7375, II
Bh Bergerhof, Johann Huber Gasse 35, ✆ 4705, II-III
Bh Anneliese Stückler, Gasse 8, ✆ 76726, II-III
Bh Sternecker, Anneliese Sternecker, Gasse 27, ✆ 3032, II

Hausham

PLZ: 83734; Vorwahl: 08026
Gemeindeverwaltung Hausham, Rathausstr. 2, ✆ 3909-0
Gh Alpengasthof Glückauf, Fam. Seidl, Am Sportplatz 1, ✆ 1048 od. 1049, IV
Gh Jagdschlössl Kormunda, Nagelbachstr.11, ✆ 8141 od. 8477, III

P Haus Helga, Moosrainer Weg 2b, ✆ 8459, II-III,
Pz Leitner Johann, Nagelbachstr. 34, ✆ 8976, II,
Bh Familie Scheben, Rain 44, ✆ 8896, II

Schliersee

PLZ: 83727; Vorwahl: 08026
Gäste-Information Schliersee, Bahnhofstr. 11a, ✆ 60650
H Alpen Club, Kirchbichlweg 18, ✆ 6080, VI
H Gasthof Terofal, Xaver-Terofal-Platz 2, ✆ 4045, V
Hg Hubertus, Bayrischzeller Str. 7, ✆ 71035, III-V
P Schönblick, Bammerweg 4, ✆ 6424, III
Gh Huber am See, Seestr. 10, ✆ 6619, III

Fischbachau

PLZ: 83730; Vorwahl: 08028
Tourismusbüro Fischbachau, Kirchplatz, ✆ 876
H Aurachhof, Bahnhofstr. 4, ✆ 9030, III-V
H Pension Maximilian, Fam. Puille, Hauptstraße 16, ✆ 415, II-III
Gh Marbach, Storr Anton, Leitzachtalstr. 39, ✆ 808, II
Gh Zur Post, Fuchs Klaus, Birkensteinstr. 1, ✆ 805, II-III
Pz Auer Georg, Leitzachtalstr. 51, ✆ 470, I
Pz Bernrieder Martin, Point 2, ✆ 1351, I
Pz Fink Hans, Achatswieser Str. 6, ✆ 2134, I-II
Pz Gasteiger Katharina, Landhaus Luise, Haupstr. 29, ✆ 698, I
Pz Hacker Franz, Haupstr. 24, ✆ 2666, I-II
Pz Kloo Georg, Leitzachtalstr. 44, ✆ 471, I
Pz Schmid Johanna, Haus Guggenbichler, Wolfseeweg 5, ✆ 2785, II
Pz Schmotz Hans, Gottenbichlhof, Gottenbichlweg 8, ✆ 2952, II
Pz Schwarz Gerhard, Mühlkreit 6, ✆ 826, II
Pz Taubenberger Maria, Gästehaus zum Zither-Klaus, Lehenpointstr. 9, ✆ 2281, I-II
Pz Wittmoser Lorenz, Mairbauer, Lehenpointstr. 2, ✆ 515, II
Jugendwerk St. Georg, Thalhäusl 1, ✆ 1707

Elbach:

Gh Sonnenkaiser, Leitzachstr. 116, ✆ 90530, II-V
Pz Astner Konrad, Ötzstr. 3, ✆ 197, II
Pz Greinsberger Klaus, Steingrabenstr. 10, ✆ 2594, I
Pz Kremmer Josef, Kirchstr. 2, ✆ 817, I

Birkenstein:

Gh Sonnenbichl, Farnleitenweg 3, ✆ 737, III
Gh Oberwirt, Wagner Hans u. Erika, Birkensteinstr. 91, ✆ 814, II-III
Gh Göttfried, Birkensteinstr. 73, ✆ 827, II
Gh „Alte Bergmühle", Birkensteinstr. 60, ✆ 732, III
Pz Haus Estner, Birkensteinstr. 96, ✆ 697, I
Pz Popp Anna, Haus Dialler, Birkensteinstr. 52, ✆ 709, I

Hundham:

Gh Alter Wirt, Leitzachtalstr. 209, ✆ 509 od. 905684, II-III
Pz Bernauer Christa, Heckenweg 16, ✆ 1340, I
Pz Kirchberger Anna, Feilnbacher Straße 132, ✆ 2354, I
Pz Mairhofer Elisabeth, Köhlerhof, Schwarzenbergstr. 32, ✆ 775, I
Pz Pischetsrieder Paul, Haus Emmi, Leonhardiweg 22, ✆ 507, I-II
Pz Schmid Martin, Heckenweg 25, ✆ 691, I
Pz Vrech Klaus, Beim Rieger, Leitzachtalstr. 225, ✆ 2389, I

Bad Feilnbach

PLZ: 83075; Vorwahl: 08066
Kur- und Gästeinformation, Bahnhofstr. 5, ✆ 1444, www.bad-feilnbach.de
H Lutz, Kufsteiner Str. 55, ✆ 90700, III-V
H Kur- und Sporthotel, Am Heilholz 3, ✆ 8880, V
H Maximilian, Torfwerk 2, ✆ 90570, V
Hg Funk, Nordweg 21, ✆ 8015, III-IV
Gh Gundelsberg, Gundelsberger Str. 9, ✆ 90450, V
Gh Pfeiffenthaler, Kufsteiner Str. 10, ✆ 202, III
Gh Kistlerwirt, Münchener Str. 21, ✆ 90360, IV
P Wimmer, Kufsteiner Str. 28, ✆ 235, II-III
Pz Haus Barbara, Am Heilholz 5, ✆ 437, II
Pz Haus Kamhuber, Am Heilholz 14, ✆ 681, II
Pz Gästehaus Leidolph, An Höhenpark 2, ✆ 904590, II-III
Pz Gästehaus Wendelstein, Am Naturpark 2, ✆ 592, II
Pz Fuhrmann, Osterfeldstr. 4, ✆ 404, II
Pz Gästehaus Kurz, Wendelsteinstr. 29, ✆ 400, II
Pz Gästehaus Kniep, Wendelsteinstr. 41, ✆ 337, II
Pz Haus Obermaier, Bachweg 3, ✆ 270, I-II
Pz Embacher, Breitensteinstr. 24, ✆ 282, II
Pz Matschiner, Münchener Str. 15, ✆ 1516, II
Pz Bichlweber, Flurstr. 2, ✆ 401, II
Pz Gästehaus Kathi, Kranzhornstr. 6, ✆ 1543 od. 1671
Pz Steinhart, Flurstr. 4, ✆ 8044 od. 256, I
Pz Haus Stadler, Münchener Str. 11, ✆ 562, I
Pz Dialler, Flurstr. 13, ✆ 1482, I
Tenda Camping und Freizeitpark, Reithofstr. 2, ✆ 533

Au:

Vorwahl: 08064
Gh Weingast, Kematen 12, ✆ 209, II
P Riedlhof, Hauptstr. 49, ✆ 379, II
Pz Hubertushof, Aubachstr. 20, ✆ 751, II
Pz Gästehaus Huber, Hauptstr. 9, ✆ 292, II
Pz Haus Anzinger, Haupstr. 11, ✆ 651, I

Litzldorf

PLZ: 83075; Vorwahl: 08066
Kur- u. Gästeinformation Bad Feilnbach, Bahnhofstr. 5, ✆ 1444
Gh Metzgerei Höß, Aiblinger Str. 30, ✆ 355, III

Derndorf

PLZ: 83075; Vorwahl: 08066
Gh Tiroler Hof, Aiblinger Str. 95, ✆ 213, II
Pz Haus Wallner, Brechstubenweg 6, ✆ 1203

Neubeuern

PLZ: 83115; Vorwahl: 08035
Verkehrsamt Neubeuern, Marktplatz 4, ✆ 2165
H Burgdacherl, Marktplatz 23, ✆ 2456
P Haus Stelzer, ✆ 4775

P Hofwirt, 2340
P Niederauer Hof, Niederau 1, 08034/7783

Frasdorf

PLZ: 83112; Vorwahl: 08052
Tourist-Information, Schulstr. 7, 179625
H Karner, Nussbaumstr. 6, 4071, V-VI
H Goldener Pflug, Umrathshausen, 90780, IV-V
Gh Hochries, Hauptstr. 3, 1473, III
P Kampenwand, Simseestr. 18, 1418, III
Pz Klampfleitner, Brombeerweg 1, 2461, I
Pz Pertl, Leitenberg, Dorfstr. 10, 2821, I
Bh Gabriel, Ried 3, 2071, I
Bh Keil, Laiming 8, 2573, I
Bh Krug, Dösdorf 2, 2327, I
Bh Reiner, Ebnat 1, 2383, I
Bh Sailer, Irlach 1, 2267, I
Bh Scheck, Wilhelming, 2777, I
Bh Schlosser, Thal 2, 08032/5667, I
Bh Spitzl, Greimelberg 21, 846, II
Bh Stettner, Tauern 1, 2516, I
Bh Stoib, Lochen 1, 1076, I
Bh Sagmeister, Paulod 5, 2724, I
Bh Winkler, Kapellenweg 8, 2494, I

Aschau

PLZ: 83229; Vorwahl: 08052
Tourist-Info,Kampenwandstr. 38, 904937
H Burghotel, Kampenwandstr. 94, 9080, V-VI
H Dreilindenhof, Pölching 1, IV
H Zum Baumbach, Kampenwandstr. 75, 1481, IV-V
H Edeltraut, Narzissenweg 15, 90670, III
Hg Prillerhof, Höhenberstr. 1, III
Gh Brucker, Schlossbergstr. 12, 4987, III
P Alpenrose, Lochbachweg 2, 907533, II-III
P Bauer, Kohlstattweg 22, 9222, II
P Kampenwand, Bernauer Str. 1, 2440, III
P Kräh, Hochriesstr. 8, 727, II
P Kiesmüller, Burgweg 7, 2116, II-III
P Kirchlechner, Kampenwandstr. 30, 761, II
P Westner, Rosenstr. 13, 4585, II
Pz Kirner, Frasdorfer Str. 1, 4537, II
Pz Podlech, Hammersteinweg 5, 2735, II
Pz Scheck, Burgweg 17, 217, I
Pz Wünsche, Heuraffler Weg 2, 1043, I
Pz Zanier, Feuerhausstr. 9, 724, II
Bh Auerhof, Außerwald 8, 2024, II
Bh Klampfleitner, Bernauer Str. 31, 2499, I
Bh Beim Hafner, Bernauer Str. 23, 2393, I

Bernau am Chiemsee

PLZ: 83233; Vorwahl: 08051
Tourist-Info Bernau, Aschauer Str. 10, 9868-0
Chiemsee Tourismus KG, Felden 10, 965550
H Chiemsee, Kampenwandstr. 26, 98750
H Jägerhof, Rottauer Str., 7377 (mit Biergarten)
Gh Kartoffel, Aschauer Str. 22, 967-0
Gh Kampenwand, Aschauer Str. 12, 89404, IV
Gh Alter Wirt, Kirchplatz 9, 89011
Gh Seiseralm-Hof, Reit 4-5A, 9890
Gh Martlschuster, Aschauer Str. 23, 8638
Gh Lechner, Aschauer Str. 85, 7373
Gh Gästehaus Bauer, Hitzelsbergstr. 8, 7496
Gh Daxenberger, Josef-Decker-Str. 1, 7527
Gh Hadamek, Kreuzstr. 9, 7060
P Ferienhof Anna, Kreuzstr. 5, 7092
P Hanznhof, Steigackerstr. 12, 7290, III-IV
P Haus Alphorn, Engelländerstr. 1, 7661
P Haus Garnreiter, Osterham 12, 9640940
Bh Maurerhof, Kraimoos 17, 7523
Bh Weberhof, Kraimoos 14, 7014
Bh Schusterhof, Reitham 14, 7477
Bh Jacklhof, Rottauer Str. 43, 7491
Bh Prassberger, Reitham 6, 89256

Rottau

PLZ: 83224; Vorwahl: 08641
Verkehrsverein, Grassauer Str. 7, 2773
Gh Fischerstüberl, Hauptstr. 15, 2334, III-IV
Gh Messerschmied, Grassauer Str. 1, 2562, III
Gh König, Bernauer Str. 5, 2463, III
P Haus Buchner, Dorfstr. 10, 2030, II
Pz Haus Frankl, Dorfstr. 1, 3630, II
Pz Haus Hilger, Kreuzstr. 7, 3331, II
Pz Annemarie Huber, Mühlwinkel 18, 3224, II
Pz Franziska Huber, Mühlwinkel 7, 2827, I
Pz Michael König, Hauptstr. 8, 5166, II
Pz Haus Erika, Rudersbergstr. 3, 3717, II
Pz Haus Stephan, Oberdorfstr. 5, 3640, II
Bh Homerhof, Oberdorfstr. 3, 2153, II
Bh Schwaigerhof, Hackenstr. 1, 3812, II
Bh Ertlhof, Dorfstr. 22, 3973, II
Bh Bauernschmied, Salchtweg 5, 3327, I

Grassau

PLZ: 83224; Vorwahl: 08641
Tourist-Information, Kirchplatz 3, 697960
H Astron, Mietenkamer Str. 65, 4010, VI
H Sperrer, Ortenburger Str. 5, 2011, III-IV
H Hansbäck, Kirchpl. 18, 4050, V
H Zur Post, Kirchpl. 8, 95810, III-IV
P Haus Fröhlich, Aichbauernweg 15, 2897, II
P Seiwald, Guxhauser Weg 34, 8867, I-II
P Seiwald-Hof, Guxhauser Weg 33, 8391, II
Pz Hörterer, Birkenweg 29, 2393, I
Pz Seiwald, Gänsbachstr. 35, 4712, I-II
Pz Haus Zeisberger, Oberdorf 21, 5299, I

Mietenkam:

P Moritz, Heideweg 15, 2102, II
P Kampenwand, Mietenkamer Str. 159, 955030, II-III
Pz Haus Schranzhofer, Heideweg 19 + 21, 2075, I-II

Bergen

PLZ: 83346; Vorwahl: 08662
Tourist-Information, Raiffeisenpl. 4, 8321
H Säulner Hof, Hochplattenstr. 1, 8655, II-III
H Mariandl, Hochfellnstr. 44, 8495, II-III
H Salzburger Hof, Brunnweg 4, 48840, IV-V
H Alpenhof, Weißachener Str. 23, 8124, III
Gg Mühlwinkler Stüberl, Maria-Eck-Str. 5, 8886, II
P Alpin, Bahnhofstr. 24, 8397, II
P Sonnleit´n, Siegsdorfer Str. 11, 8191, II
P Schillmeier, Weißachener Str. 7, 8372, I-II
Pz Haus Gehmacher, Siegsdorferstr. 23, 8197, II

Bh Beim Bauern, Siegsdorfer Str. 21, ✆ 8294, II
Wagnerhof, Campingstr. 11, ✆ 5887

Bernhaupten
H Emer-Hof, Bernhauptner Str. 8, ✆ 5991, III
P Rodler, Hainzbergstr. 6, ✆ 8672, I-II

Siegsdorf
PLZ: 83313; Vorwahl: 08662
Tourist-Information, Rathauspl. 2, ✆ 498745
H Obermayer, Rabensteinstr. 11, ✆ 9675, II-III
H Forelle, Traunsteiner Str. 1, ✆ 66050, III-IV
Gh Alte Post, Traunsteiner Str. 7, ✆ 7139, III-IV
Gh Hörterer, Schmiedstr. 1, ✆ 6670, III-IV
Gh Edelweiß, Hauptstr. 21, ✆ 9296, II
Gh Neue Post, Kirchplatz 2, ✆ 9278, III
P Ober, Höpfling 38, ✆ 9215, II
P Staufenblick, Zottmayerstr. 2, ✆ 7366, III
Pz Herzog, Molbertingerstr. 4, ✆ 2983, I

Traunstein
PLZ: 83278; Vorwahl: 0861
Tourist-Information, Haywards-Heath-Weg 1, Im Stadtpark, ✆ 9869523
H Parkhotel „Traunsteiner Hof" Gmbh, Bahnhofstr. 11, ✆ 988820, V-VI
H Rosenheimer Hof, Rosenheimer Str. 58, ✆ 986590, V-VI
H Fürstenhof Sailerkeller, Herzog-Wilhelm-Str. 1, ✆ 1666770, V-VI
Gh Alpengasthof Hochberg, Hochberg 6, ✆ 4202, III-IV
Traunstein, Traunerstr. 22, ✆ 4742

Anger
PLZ: 83454; Vorwahl: 08656
Tourist-Info, Dorfpl. 4, ✆ 988922
P Haus Tannwies, Salzstr. 27, ✆ 510, II
Gh Alpenhof, Dorfpl. 15, ✆ 98487-0, III-IV
Pz Haus Staufenblick, Scheiterst. 14, ✆ 611, I-II
Pz Haus Anni, Ramsauer Str. 15, ✆ 533, I
Pz Conrady, Falkenaustr. 11, ✆ 232, I
Pz Hinterstockham, Stockham 12, ✆ 464, I

Aufham
PLZ: 83454; Vorwahl: 08656
H Landhotel Prinz, Dorfstr. 5, ✆ 1084, II-IV
Gh Café Hölbinger Alm, Kirchenstr. 53, ✆ 578, II-III
Gh Pension Sonnenhang, Fallgrabenstr. 28, ✆ 342, II

Piding
PLZ: 83451; Vorwahl:08651
Tourismusbüro, Petersplatz 2, ✆ 3860
H Pension Alpenblick, Gaisbergstr. 9, ✆ 98870, II-IV
P Erberbauer, Gaisbergstr. 3, ✆ 1442, II-III
Gh Altwirt, B erchtesgadener Str. 6 1/2, ✆ 4789, II
Gh Johannishögl, Ludwig Rieger, Johannishögl 3, ✆ 397, II
Gh Schwantner, Bahnhofstr. 34 a, ✆ 1891, II
Pz Poschnhof, Berchtesgadener Str. 1, ✆ 63803, II
Pz Haus Dufter, Gaisbergstr. 4, ✆ 5876, I
Pz Haus Fuchs, Bachstr. 10, ✆ 65727, I
Pz Haus Graf, Berchtesgadener Str. 21, ✆ 65488, II
Pz Landhaus Graßmann, Salzstr. 20, ✆ 8000, I
Pz Haus Holzner, Salzburger Str. 10, ✆ 4261, I
Pz Haus Hunklinger, Berchtesgadener Str. 9, ✆ 4339, I
Pz Haus Peyerl, Göllstr. 10, ✆ 1241, I
Pz Haus Ramesberger, Plainstr. 8, ✆ 5922, II
Pz Haus Reis, Lindenstr. 60, ✆ 2135, I
Pz Haus Traxl, Berchtesgadener Str. 2, ✆ 2101, I

Bad Reichenhall
PLZ: 83435; Vorwahl: 08651
Kur- und Verkehrsverein e.V., Wittelsbacher Str. 15, ✆ 606303
H Alpina, Adolf-Schmid-Str. 5, ✆ 9750, V
H Steigenberger, Salzburger Str. 2-6, ✆ 7770, VI
H Residenz Bavaria, Am Münster 3, ✆ 7760, VI
H Luisenbad, Ludwigstr. 33, ✆ 6040, VI
H Alpenrose, Luitpoldstr. 19, ✆ 97600, V
H Almrausch, Frühlingstr. 5, ✆ 96690, III-V
H Erika, Adolf-Schmid-Str. 3, ✆ 95360, IV-V
H Falter, Traunfeldstr. 8, ✆ 9710, V
H Hofwirt, Salzburger Str. 21, ✆ 98380, V
H Reseda, Mackstr. 2, ✆ 9670, III-IV
H Seeblick, Thumsee 10, ✆ 98630, V-VI
H Bürgerbräu, Rathausplatz, ✆ 6089, V-VI
H Hansi, Rinckstr. 3, ✆ 98310, IV-V
H Klosterhof, Steilhofweg 19, ✆ 98250, VI
H Oechsner, Am Thumsee 7, ✆ 96970, III
H Salzburger Hof, Mozartstr. 7, ✆ 97690, IV-V
H Friedrichshöhe, Adolf-Schmid-Str. 5, ✆ 9750, IV-V
H Sonnenbichl, Adolf-Schmid-Str. 2, ✆ 78080, V-VI
H Bergfried, Adolf-Schmid-Str. 8, ✆ 78068, III-IV
H St. Peter, Luitpoldstr. 17, ✆ 96880, IV-V
H Sparkassenhotel, Luitpoldstr. 8, ✆ 7060, V
H Eisenrieth, Luitpoldstr. 23, ✆ 9610, II-IV
H Vier Jahreszeiten, Rinckstr. 1, ✆ 76770, V
H Dora, Frühlingstr. 12, ✆ 95880, III-IV
H Goldener Hirsch, Ludwigstr. 5, ✆ 4151, III
H Villa Schönblick, Tivolistr. 3, ✆ 78060, III-V
H Traunfeldmühle, Traunfeldstr. 5, ✆ 98640, V
H Villa Palmina, Mackstr. 4, ✆ 97660, IV-V
H Steiermark, Riedelstr. 4, ✆ 2962, III
Hg St. Georg, Friedrich-Ebert-Allee 20, ✆ 98610, V
Hg Moll, Frühlingstr. 61, ✆ 98680, III-V
Hg Villa Rein, Frühlingstr. 8, ✆ 3482, V
Hg Rupertuspark, Friedrich-Ebert-Allee 66, ✆ 9850, IV-V
Hg Carola, Friedrich-Ebert-Allee, 6, ✆ 95840, IV-V
Hg Eva Maria, Zenostr. 2, ✆ 95390, II-IV
Hg Haus Lex, Salzburger Str. 42, ✆ 2147, II-III
P Haus Vroni, Paepkestr. 3, ✆ 5334, IV-V
P Hubertus, Am Thumsee 5, ✆ 2252, III-IV
P Villa Antonie, Traunfeldstr. 20, ✆ 2630, III
P Clematis, Frühlingstr. 6, ✆ 62593, II
P Haus Emmaus, Maximilianstr. 10, ✆ 78050, IV-V
P Villa Fischer, Adolf-Schmid-Str. 4, ✆ 5764, II
Pz Gästehaus Färber, Kirchholzstr. 1, ✆ 3462, III
Pz Gästehaus Geigl, Kirchholzstr. 3, ✆ 2270, II
Pz Gästehaus Mauerer, Ludwig-Thoma-Str. 9, ✆ 5517, III
Pz Haus Rachl, Salzburger Str. 44, ✆ 3641, II
Pz Jodlbauer, Bruchthal 15, ✆ 5152, II
Pz Haus Ronald, Frühlingstr. 67, ✆ 4433, I-II
Pz Schröder, Franz-Josef-Str. 4, ✆ 690020, II
Pz Korber, Franz-Josef-Str. 2, ✆ 769870, II-III

Nonn:
H Gablerhof, Nonn 55, ✆ 98340, IV-V
H Sonnleiten, Nonn 27, ✆ 61009, V-VI
Gh Graue Katz, Nonn 20, ✆ 2144, II
P Schwarzenbach, Nonn 91, ✆ 4472, II-III
Pz Leitnerhof, Nonn 86, ✆ 8002, II
Pz Flatscherhof, Nonn 21, ✆ 8810, II

Bayerisch Gmain
PLZ: 83457; Vorwahl: 08651
Tourist-Info, Großgmainer Str. 14, ✆ 606401
H Amberger, Schiller Allee 5, ✆ 98650, III-IV
H Villa Florida, Grossgmainerstr. 23-25, ✆ 98880, III-IV
H Johanneshof, Unterbergstr. 6, ✆ 965860, II-IV
H Rupertus, Rupertistr. 3, ✆ 97820, V-VI
H Sonnenhof, Sonnenstr. 11, ✆ 959840, III
H Post, Bahnhofstr. 17, ✆ 98810, III-IV
Gh Bauerngirgl, Lattenbergstr. 19, ✆ 2625, III
Pz Karolinenhof, Weißbachstr. 19, ✆ 2811, II-III
Pz Schleicherhof, Herbacherstr. 5, ✆ 61716, II
Pz Gästehaus Bergfrieden, Taufkirchenweg 7, ✆ 4475, III
Pz Gästehaus Berghof, Bichlstr. 3, ✆ 3471, II

Pz Bräulerhof, Bertesgardener Str. 60, ✆ 2923, II
Pz Gästhaus Dreher, Feuerwehrheimstr. 1, ✆ 65656, III
Pz Haus Forster, Millnerhornstr. 3, ✆ 2642, II-III
Pz Haus lug ins Land, Sonnenstr. 24, ✆ 95940, III-IV
Pz Streitbichlhof, Gruttensteinstr. 10, ✆ 8104, I-II
Pz Gästehaus Amadeus, Wappachweg 5, ✆ 2826, I-II
Bh Pflegerhof, Reichenhaller Str. 2, ✆ 3744, I-II

Bischofswiesen

PLZ: 83483; Vorwahl: 08652
Verkehrsamt, Hauptstr. 40, ✆ 977220
H Reissenlehen, Reissenpoint 11, ✆ 977200, V-VI
H Hundsreitlehen, Quellweg 11, ✆ 9860, IV-V
H Brennerbascht, Hauptstr. 44, ✆ 7021, III-IV
Gh Watzmannstube, Hauptstr. 16, ✆ 7223, II
P Loiplstüberl, Klemmsteinweg 12, ✆ 98480, II-III
P Huber Sepp, Pfaffenkogelweg 5, ✆ 7494, II-III
P Bergsicht, Keilhofgasse 33, ✆ 7393, II
P Weinbuch, Wassererweg 2, ✆ 7746, II
P Naglerlehen, Wiedlerweg 7, ✆ 7166, II
P Reissenlehen, Reissenpoint 11, ✆ 977200, III
Pz Hasenknopf, Am Datzmann 91, ✆ 8554, II
Pz Gästehaus Sonja, Am Datzmann 71, ✆ 7769, II-III
Pz Gästehaus Marchler, Marchlerweg 10, ✆ 7782, II-III
Pz Haus Alpengruss, Reichenhaller Str. 26, ✆ 8414, KK
Pz Hillebrand, Am Hillebrand 10, ✆ 7098, II
Pz Fuchslechner, Wassererweg 19, ✆ 7108, II

Stanggass:

H Schönfeldspitze, Schönfeldspitzweg 8, ✆ 2349, III-IV
H Oberkälberstein, Oberkälberstein 25, ✆ 4539, III
P Edelweißstüberl, Zwingerstr. 7, ✆ 2237, I-II

Strub

PLZ: 83489; Vorwahl: 08652
P Watzmannblick, Gebirgsjägerstr. 46, ✆ 3363, II-III
P Haus Waldfrieden, Silbergstr. 50, ✆ 62964, II
Berchtesgaden, Gebirgsjägerweg 25, ✆ 94370
Gebirgsjägerstr. 52, ✆ 94370

Berchtesgaden

PLZ: 83471; Vorwahl: 08652
Berchtesgaden Tourismus GmbH, Königsseer Str. 2, ✆ 9670
Tourismusbüro, Maximilianstr. 9, ✆ 9445300
Verkehrsbüro Oberau, Roßfeldstr. 22, ✆ 964960
H Bavaria, Sunklergässchen 11, ✆ 96610, V-VI
H Fischer, Königsseestr. 51, ✆ 9550, V-VI
H Kronprinz, Am Brandholz, ✆ 6070, V-I
H Wittelsbach, Maximilianstr. 16, ✆ 96380, IV-V
H Krone, Am Rad 5 1/3, ✆ 94600, V-VI
H Seimler, Maria am Berg 3, ✆ 6050, IV-V
H Binderhäusl, Am Wemholz 2, ✆ 5429, IV-V
H Lockstein, Am Lockstein 1, ✆ 2122, III
H Demming, Sunklergässchen 2, ✆ 9610, V-VI
H Hainberg, Waltenberger Str. 5, ✆ 62031, II-IV
H Grünberger, Hanserweg 1, ✆ 4560, V
H Vier-Jahreszeiten, Maximilianstr. 20, ✆ 9520, V-VI
H Weiherbach, Weiherbachweg 6, ✆ 978880, IV-VI
H Rosenbichl, Rosenhofweg 24, ✆ 94400, IV-V
Hg Floriani, Königsseestr. 37, ✆ 66011, III-IV
Gh Schwabenwirt, Königsseer Str. 1, ✆ 2022, III-V
Gh Maria Gern, Kirchpl. 3, ✆ 3440, IV-V
Gh Mitterweinfeld, Weinfeldweg 6, ✆ 61374, II
Gh Deml, Bergwerkstr. 68, ✆ 61099, II-III
P Belvedere, Eberweinweg 1, ✆ 3573, II-III
P Rostalm, Rostwaldstr. 12, ✆ 3133, III-IV
P Haus Burgl, Renothenweg 27, ✆ 3980, II
P Grüßer, Hansererweg 18, ✆ 62609, I-II
P Achental, Ramsauerstr. 4, ✆ 4549, II-III
P Rubertiwinkel, Königsseer Str. 29, ✆ 4187, II-III
P Haus Gute Fahrt, Bergwerkstr. 24, ✆ 4739, II-III
P Villa Lockstein, Locksteinstr. 18, ✆ 61496, II
P Rennlehen, Rennweg 21, ✆ 66601, II-III
Pz Nagellehen, Locksteinstr. 33, ✆ 62505, II
Pz Weigl, Locksteinstr. 45, ✆ 4673, I-II
Pz Heidi, Weinfeldweg 9, ✆ 63734, II
Pz Etzerschlössl, Gernerstr. 2, ✆ 2882, II-III
Pz Schwabenbichl, Hansererweg 10, ✆ 690930, II
Pz Stollnhäusl, Königsseer Str. 18, ✆ 63573, II
Pz Haus Brunner, Hansererweg 16, ✆ 61886, I
Pz Haus Sonnenblick, Kranzbichlweg 21, ✆ 3808, I
Pz Kilianmühle, Königsallee 2, ✆ 64292, II
Pz Kropfleiten, Metzenleitenweg 32, ✆ 3137, II-III

Schönau am Königssee

PLZ: 83471; Vorwahl: 08652
Tourist-Information, Rathauspl. 1, ✆ 1760
H Alpina, Ulmenweg 14-16, ✆ 65090, V-VI
H Bärenstüberl, Grünsteinstr. 65, ✆ 95320, IV-VI
H Köppeleck, Am Köppelwald 15, ✆ 9420, IV-V
H Georgenhof, Modereggweg 21, ✆ 9500, IV-VI
H Zechmeisterlehen, Wahlstr. 35, ✆ 9450, IV
H Seeklause, Seestr. 6, ✆ 947860, V-VI
H Alpenhof, Richard-Voss-Str. 30, ✆ 6020, IV
H Brunneck, Im Weihermoos, ✆ 96310, IV-V
H Bergheimat, Brandnerstr. 16, ✆ 6080, III-V
H Tauernhof, Untersteinerstr. 101, ✆ 62097, V-VI
H Schiffmeister, Seestr. 34, ✆ 96350, V-VI
H Gerti, Waldhauserstr. 20, ✆ 94650, III-IV
H Lärchenhof, Am Rehwinkel 3, ✆ 96870, III-IV
H Unterstein, Untersteinerstr. 29, ✆ III-IV
H Schönau, Oberschönauerstr. 19, ✆ 948485, III-IV
H Waldstein, Königsseer Fußweg 17, ✆ 2427, III
H Königssee, Seestr. 29, ✆ 6580, III-V
Gh Kohlhiasl, Oberschönauerstr. 44, ✆ 2713, II
Gh Schusterstein, Königsseerstr. 71, ✆ 2044, II
P Brandtnerhof, Brandnerstr. 18, ✆ 2336, II-III
P Zillnhof, Untersteinerstr. 20, ✆ 2562, III-IV
P Hanauerlehen, Hanauerweg 6, ✆ 3970, III
P Rehwinkel, Alte Königsseer Str. 71, ✆ 63235, III-IV
P Lichtenfels, Alte Königsseer Str. 15, ✆ 96830, II-III
P Haus Sonnenbichl, Alte Königsseer Str. 30, ✆ 61208, I-II
P Am Alpenpark, Schornstr. 40, ✆ 690544, II-III
P Tannenheim, Untersteiner Str. 110, ✆ 948815, III
P Kohlhiasl-Höh, Oberschönauerstr. 52-54, ✆ 63088, II-III
P Berganemone, Grünsteinstr. 37, ✆ 61544, II-III
P Alpenblick, Untersteinerstr. 18, ✆ 2998, II
P Hochfeld, Hofreitstr. 17, ✆ 4124, II-III
P Schönfeld, Storchenstr. 30, ✆ 4395, II-III
P Kennleiten, Krennstr. 9, ✆ 62882, II-III
P Schwöblehen, Schwöbgasse 14, ✆ 64323, II-III
P Kohllehen, Oberschönauerstr. 65, ✆ 3766, II
P Haus Feldkogel, Moosweg 12, ✆ 3312, II
P Einsiedl, Artenreitweg 4, ✆ 62754, I-II
Pz Rasp, Kierngaßlehen 11, ✆ 3966, II

Ortsindex

Einträge in *grüner* Schrift beziehen sich auf das Übernachtungsverzeichnis.